# PLUSPUNKT
# DEUTSCH

*Leben in Deutschland*

## A1.1

ARBEITSBUCH TEILBAND 1

Jin | Schote

**Symbole**

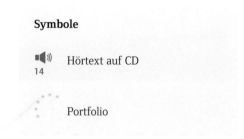

■◀))    Hörtext auf CD
14

★ ★ ★
★  ★    Portfolio
★ ★

**Pluspunkt Deutsch A1.1**
**Leben in Deutschland**

Arbeitsbuch, Teilband 1

Im Auftrag des Verlags erarbeitet von Friederike Jin und Joachim Schote

| | |
|---|---|
| **Redaktion:** | Dieter Maenner und Laura Nielsen |
| | Gertrud Deutz (Redaktionsleitung) |
| **Redaktionelle Mitarbeit:** | Friederike Jin, Vanessa Wirth |
| **Bildredaktion:** | Katharina Hoppe-Brill, Claudia Groß, Laura Nielsen |
| **Illustrationen:** | Christoph Grundmann |

**Umschlaggestaltung, Layout und technische Umsetzung**: finedesign Büro für Gestaltung, Berlin

**www.cornelsen.de**

Die Links zu externen Webseiten Dritter, die in diesem Lehrwerk angegeben sind, wurden vor Drucklegung sorgfältig auf ihre Aktualität geprüft. Der Verlag übernimmt keine Gewähr für die Aktualität und den Inhalt dieser Seiten oder solcher, die mit ihnen verlinkt sind.

Soweit in diesem Buch Personen fotografisch abgebildet sind und ihnen von der Redaktion Namen, Berufe, Dialoge und Ähnliches zugeordnet oder diese Personen in bestimmten Situationen darge-stellt werden, sind diese Zuordnungen und Darstellungen fiktiv und dienen ausschließlich der Veranschaulichung und dem besseren Verständnis des Buchinhalts.

1. Auflage, 3. Druck 2016

Alle Drucke dieser Auflage sind inhaltlich unverändert und können im Unterricht nebeneinander verwendet werden.

© 2015 Cornelsen Schulverlage GmbH, Berlin

Druck: Firmengruppe APPL, aprinta Druck Wemding

ISBN: 978-3-06-120564-5

PEFC zertifiziert
Dieses Produkt stammt aus nachhaltig bewirtschafteten Wäldern und kontrollierten Quellen.
www.pefc.de

# Inhalt

# 1 Willkommen!

**1** Wie heißen Sie? Ordnen Sie den Dialog und kontrollieren Sie dann mit der CD.
`02`

☐ Ich heiße José Aguilar.
Woher kommen Sie?

☐ Ich komme aus Madagaskar. Und Sie?

☐ Ich komme aus Peru.

[1] Guten Tag, ich heiße Murielle
Ramanantsoa. Wie heißen Sie?

**2** Ergänzen Sie den Dialog. Hören und kontrollieren Sie dann mit der CD.
`03`

- Guten Tag. Ich ........................... José Garcias. ........................... heißen Sie?

- Ich ........................... Magdalena Ziowska.

- ........................... kommen Sie?

- Ich komme ........................... Polen.

**3** Wie heißen Sie? Woher kommen Sie? Ergänzen Sie die Sätze.

Ich heiße ..................................... . Ich komme aus ..................................... .

## A Guten Tag

**4** Ordnen Sie den Dialog und kontrollieren Sie dann mit der CD.
`04`

☐ Ich heiße Gomes. Anna Gomes. Und Sie?
☐ Ich heiße Funda Aydin. Ich wohne schon lange hier. Woher kommen Sie?
[1] Guten Morgen. Mein Name ist Anna Gomes. Ich bin neu hier.
☐ Ich komme aus Portugal. Und das ist Maria.
☐ Hallo, Maria. Willkommen!
☐ Guten Morgen. Entschuldigung, wie heißen Sie?

**5** Schreiben Sie die Sätze in Ihr Heft.

WoherkommenSie? • IchkommeausderUkraine. • Ichwohneschonlangehier. •

IchbinneuhierimHaus. • MeinNameistGeorgHauser.

> Woher kommen ...

**6a**    *Wie? Woher? Wer?* Ergänzen Sie die Fragen.

.................................... heißen Sie?

.................................... ist das?

.................................... kommen Sie?

**6b**    Ordnen Sie die Fragen aus 6a zu und schreiben Sie sie.

1 .................................................................... Das ist Goran Petrovic.

2 .................................................................... Ich heiße Marija Petrovic.

3 .................................................................... Ich komme aus Berlin.

**7a**    Schreiben Sie drei Fragen.

| Wie • Woher • Wer • heißen • kommen • ist • Sie • Sie • das |
| --- |

1   *Wie* ..................................................................... ?

2   ............................................................................. ?

3   ............................................................................. ?

**7b**    Schreiben Sie Antworten zu den Fragen aus 7a .

# B   Buchstaben

**◀)) 05**   **8a**    Das Alphabet. Ergänzen Sie die Buchstaben, hören Sie dann und sprechen Sie nach.

A ...... C ...... E ...... G ...... I ...... K ...... M ...... O ...... Q ...... S ...... U ...... W ...... Y

**◀)) 06**   **8b**    Die besonderen Buchstaben. Hören Sie und ergänzen Sie die Buchstaben.

1 ..........    2 ..........    3 ..........    4 ..........

**◀)) 07**   **9**    Was hören Sie? Kreuzen Sie an.

VW    vhs    BMW    AOK    DVD    H&M

☐     ☐     ☐     ☐     ☐     ☐

**◀))** **10**  Wie heißen die Leute? Woher kommen sie? Hören und ergänzen Sie.
08

**1**

Name: Halina ......................

Stadt: Lublin

Land: Polen

**3**

Name: Akina ......................

Stadt: ......................

Land: Japan

**2**

Name: Fernando ......................

Stadt: ......................

Land: Mosambik

**4**

Name: ...................... Smith

Stadt: ......................

Land: Neuseeland

# C  Formell und informell

**11a** Was sagen die Personen? Schreiben Sie zwei Dialoge.

1 •  ............................................................

  •  ............................................................

  •  ............................................................

  •  ............................................................

2 •  ............................................................

  •  ............................................................

  •  ............................................................

> Guten Tag, Frau Kern. •
> Gut. Und Ihnen? • Danke, es geht. •
> Guten Tag. Wie geht es Ihnen,
> Herr Böhm?

> Danke, gut. •
> Hallo, Felix! Wie geht es dir? •
> Gut. Und dir, Hannah?

**11b** Lesen Sie die Dialoge noch einmal und ordnen Sie zu: formell oder informell?

| | Dialog 1 | Dialog 2 |
|---|---|---|
| formell | ☐ | ☐ |
| informell | ☐ | ☐ |

**◀))** **12**  Formell oder informell? Hören Sie die Dialoge und kreuzen Sie an.
09

| | Dialog 1 | Dialog 2 | Dialog 3 | Dialog 4 |
|---|---|---|---|---|
| formell | ☐ | ☐ | ☐ | ☐ |
| informell | ☐ | ☐ | ☐ | ☐ |

**13** Ergänzen Sie die Dialoge und kontrollieren Sie mit der CD.

1 ● Guten Tag. Mein Name ist Schmitt, Anna Schmitt. Wie heißen ........?

● Guten Tag, Frau Schmitt. Mein Name ist Hans Meyer.

● Guten Tag, Herr Meyer. Wie geht es ........................?

● Danke, gut und ........................?

2 ● Hallo. Wie heißt ........................?

● Ich heiße Sara. Und ........................?

● Ich heiße Lukas.

3 ● Hallo, Lukas, wie geht es ........................?

● Danke, gut. Und ........................?

**14** Hören Sie. Welches Bild passt? Verbinden Sie.

A      ——— Dialog 1

     Dialog 2

     Dialog 3

     Dialog 4

B

**15** Ordnen Sie die Sätze zu. Kontrollieren Sie dann mit der CD und sprechen Sie nach.

> Wie heißen Sie? ● Auf Wiedersehen. ● Wie heißt du? ● Guten Tag. ●
> Guten Morgen. ● Tschüss. ● Hallo.

....................................    ....................................    ....................................

....................................    ....................................    ....................................

....................................

**16** Was passt? Ergänzen Sie.

du • ihr • Sie • Sie

Wie heißt ............?

Wie heißen ............?

Woher kommen ............?

Was macht ............?

**17a** Verben. Markieren Sie die Endungen.

| | | | | |
|---|---|---|---|---|
| du lernst | ich komme | wir wohnen | ihr macht | Sie heißen |
| du machst | ich heiße | wir kommen | ihr wohnt | Sie lernen |

**17b** Ergänzen Sie die Tabelle.

| | machen | wohnen | lernen | kommen | heißen |
|---|---|---|---|---|---|
| ich | mache | | | | |
| du | | | | | |
| wir | | | | | |
| ihr | | | | | |
| Sie | | | | | |

**18** Verben. Ergänzen Sie die Verben.

1 • Wie ...................... Sie? • Ich ...................... Elisabeth Mahler.

2 • Was ...................... ihr? • Wir ...................... Deutsch.

3 • Woher ...................... du? • Ich ...................... aus Brasilien.

4 • Wo ...................... Sie? • Ich ...................... in Frankfurt.

**19a** Das Verb *sein*. Ergänzen Sie.

ich ...................... du ...................... wir ...................... ihr ...................... Sie ......................

**19b** Wer ist das? Ergänzen Sie das Verb *sein*.

• Wer ............ du?

• Ich ............ Lin.

• Wer ............ Sie?

• Wir ............ Jan und Maria Kowalski.

• Und wer ............ Sie?

• Ich ............ Erkan Öztürk.

**20**   Schreiben Sie die Fragen und Antworten.

1 • woher – ihr – kommt – ?  ....................................................

 • aus dem Iran – wir – kommen – .  ....................................................

2 • wie – Sie – heißen – ?  ....................................................

 • Christian Weber – heiße – ich – .  ....................................................

3 • lernst – was – du – ?  ....................................................

 • lerne – ich – Englisch – .  ....................................................

4 • Sie – wohnen – wo – ?  ....................................................

 • in Friedberg – ich – wohne – .  ....................................................

5 • ihr – wer – seid – ?  ....................................................

 • Laura und Susanne – wir – sind – .  ....................................................

6 • was – ihr – macht – in Berlin – ?  ....................................................

 • wir – Deutsch – lernen – .  ....................................................

## D   Zahlen bis 20

**21**   Schreiben Sie die Zahlen.

1 ..................................................  2 ..................................................  3 ..................................................

4 ..................................................  5 ..................................................

🔊 **22**   Hören Sie die Zahlen und sprechen Sie nach.

13

9  8  7  6  5  4  3  2  1

19  18  17  16  15  14  13  12  11

# E   Was sind Sie von Beruf?

**23**   Berufe: Männer und Frauen. Ergänzen Sie.

| | Mann | Frau |
|---|---|---|
| 1 | Lehrer | |
| 2 | Ingenieur | |
| 3 | | Verkäuferin |

| | Mann | Frau |
|---|---|---|
| 4 | | Friseurin |
| 5 | | Ärztin |
| 6 | Altenpfleger | |

**24**   *Sie* oder *du*? Schreiben Sie die Fragen. Kontrollieren Sie dann mit der CD.

1   *Wie heißen Sie?* .......................................... *Wie heißt du?* ..........................................
Mein Name ist Olga Schreiber.          Ich heiße Raul.

2   ..........................................          ..........................................
Ich bin Verkäuferin.          Ich bin Ingenieur.

3   ..........................................          ..........................................
Ich komme aus Russland.          Ich komme aus Portugal.

4   ..........................................          ..........................................
Ich wohne in Münster.          Ich wohne in Freiburg.

**25a**   Herr Arslan stellt sich vor. Ergänzen Sie die Verben.

Ich ................. Farid Arslan. Ich ....................... aus Syrien und ich ..................... neu

hier. Ich ..................... Programmierer von Beruf. Ich ..................... Deutsch.

**25b**   Und Sie? Schreiben Sie einen Text wie in 25a.

**26a**   Schreibtraining. Korrigieren Sie. Welche Wörter schreibt man groß (10 Wörter)?

> W
> ~~w~~ie heißen sie und woher kommen sie?
>
> ich heiße clara bai. ich komme aus münchen.
>
> ich wohne schon lange in deutschland.

Großschreibung:
· Satzanfang
· Vornamen, Familiennamen
  (Julia Meier)
· geografische Namen (Berlin,
  Deutschland, …)
· formelle Anrede (Sie, Ihnen)

**26b**   Schreiben Sie den Text noch einmal richtig.

.................................................................................................

.................................................................................................

.................................................................................................

Fehler +++ Fehler +++ Fehler

**🔊 27a** In der Sprachschule. Hören Sie den Dialog und kreuzen Sie an: Welches Foto passt?
15

**🔊 27b** Hören Sie noch einmal und füllen Sie das Anmeldeformular aus.
15

**ASK**

ASK Sprachschule  www.ask-schule.de
Hansaring 3  E-Mail: post@ask.de
48155 Münster  Tel.: 0251 / 4832205

## *Anmeldung*

| | | | |
|---|---|---|---|
| Familienname | Vorname | Telefonnummer | E-Mail |

*Südstraße 12*
Adresse  Land  Beruf

Sprachkurs
PLZ  *Steinfurt*
Ort  ☐   ☐   ☐
    A1  A2  B1

**🔊 28** Wie geht's? Ordnen Sie zu und kontrollieren Sie dann mit der CD.
16

> Schlecht. • Gut. • Es geht. • Sehr gut. • ~~Super!~~

*Super!*.......... ................ .......... ................

| | | | |
|---|---|---|---|
| wie | ..................... | der Familienname | ..................... |
| heißen | ..................... | der Vorname | ..................... |
| Wie heißen Sie? | ..................... | das Land | ..................... |
| Guten Tag. | ..................... | | |
| und | ..................... | | |

## C Formell und informell

| | |
|---|---|
| woher | ..................... |
| kommen | ..................... |
| Woher kommen Sie? | ..................... |
| Ich komme aus … | ..................... |

| | |
|---|---|
| Frau … | ..................... |
| Herr … | ..................... |
| Wie geht es Ihnen? | ..................... |
| danke | ..................... |
| gut | ..................... |
| auch | ..................... |

## A Guten Tag

| | |
|---|---|
| Guten Morgen. | ..................... |
| der Name | ..................... |
| Mein Name ist … | ..................... |
| neu | ..................... |
| das Haus | ..................... |
| Ich bin neu hier im Haus. | ..................... |
| Entschuldigung, … | ..................... |
| wohnen | ..................... |
| schon lang(e) | ..................... |
| hier | ..................... |
| Das ist … | ..................... |
| Hallo | ..................... |
| wer | ..................... |
| Wer ist das? | ..................... |

| | |
|---|---|
| Auf Wiedersehen. | ..................... |
| Bis bald! | ..................... |
| Es geht so. | ..................... |
| Tschüss | ..................... |
| Bis morgen. | ..................... |
| was | ..................... |
| machen | ..................... |
| Was machst du? | ..................... |
| lernen | ..................... |
| Deutsch | ..................... |
| wo | ..................... |

## D Zahlen bis 20

| | |
|---|---|
| die Zahl | ..................... |
| die Nummer | ..................... |
| Meine Nummer ist … | ..................... |
| ja | ..................... |
| nein | ..................... |
| Ja, genau. | ..................... |
| nicht | ..................... |

## B Buchstaben

| | |
|---|---|
| Wie bitte? | ..................... |
| schreiben | ..................... |
| Wie schreibt man das? | ..................... |
| buchstabieren | ..................... |

### E  Was sind Sie von Beruf?

der/die Arzt/Ärztin .........................................

der Beruf ......................................... der/die Lehrer/in .........................................

Was sind Sie von Beruf? ......................................... ......................................... .........................................

der/die Ingenieur/in ......................................... ......................................... .........................................

der/die Verkäufer/in ......................................... ......................................... .........................................

**1**  Schreiben Sie Fragen und Antworten wie im Beispiel.

> Was?  •  Wer?  •  Wie?  •  Wo?  •  Woher?

*Wie?*
*Wie heißen Sie?*

*Ich heiße Carlos.*

*Was?*
*Was sind Sie von Beruf?*

*Ich bin Verkäufer.*

**2**  Sammeln Sie Wörter und Sätze zu den Themen *Name* und *Beruf*.

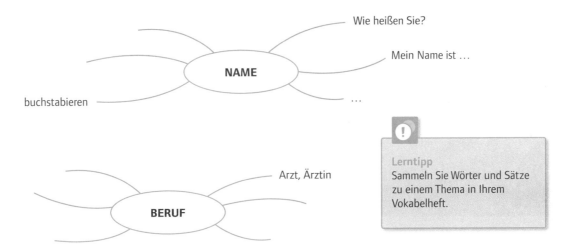

Wie heißen Sie?

Mein Name ist …

NAME

buchstabieren

…

**Lerntipp**
Sammeln Sie Wörter und Sätze zu einem Thema in Ihrem Vokabelheft.

Arzt, Ärztin

BERUF

**3**  Wörter hören und nachsprechen. Hören Sie und sprechen Sie nach.

17

1  hören – schreiben – buchstabieren – lernen – machen
2  Deutsch – Lehrer – Lehrerin – Hausaufgaben
3  Sekretärin – Ingenieur – Ärztin – Verkäufer

🔊 **4a** Hören Sie und zeigen Sie das passende Foto.
18

🔊 **4b** Hören Sie und sprechen Sie nach.
19

🔊
20

**5**  Hören Sie den Dialog und ergänzen Sie die
Informationen zu Foto 5.

**6**  Schreiben und sprechen Sie einen Dialog
wie in Foto 5.

Familienname: .........................................

Vorname: *Eva*.........................................

Land: .........................................

Beruf: .........................................

# Alte Heimat, neue Heimat

**1a** Wie heißen die Kontinente? Schreiben Sie.

kaAfri ............................... roEupa ...............................

mekaNordari ............................... traAuslien ...............................

sienA ............................... rimeSüdkaa ...............................

**1b** Hören Sie die Kontinente und sprechen Sie nach.
21

**2a** Wo liegt …? Finden Sie die Länder auf der Karte und ergänzen Sie.

Kanada • Kenia • China • Deutschland • Brasilien

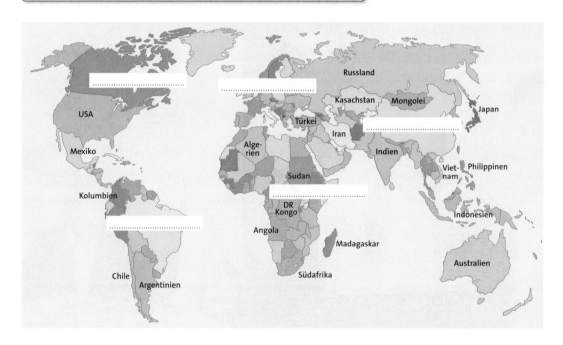

**2b** Schreiben Sie vier Sätze wie im Beispiel.

1 *Kanada liegt in Nordamerika.*

2 ...............................................................................................

3 ...............................................................................................

4 ...............................................................................................

5 ...............................................................................................

**2c** Und Sie? Woher kommen Sie? Wo liegt das? Schreiben Sie.

........................................................................................................

........................................................................................................

# A  Nationalität und Sprachen

**3a**  Ordnen Sie zu und schreiben Sie die Fragen.

| | | | |
|---|---|---|---|
| **1** Woher | **A** spricht Herr Bora? | |
| **2** Wo | **B** heißen Sie? | |
| **3** Welche Sprachen | **C** wohnt Frau Abiska? | |
| **4** Wie | **D** kommt Herr Li? | |

*Woher ...*

**3b**  Ordnen Sie die Fragen in 3a den Antworten zu. Kontrollieren Sie mit der CD.

Frage ☐  **1** Wir heißen Smith. Martin und Mary Smith.

Frage ☐  **2** Er kommt aus Hongkong.

Frage ☐  **3** Sie wohnt in Düsseldorf.

Frage ☐  **4** Er spricht Türkisch, Deutsch und Englisch.

**4**  Lesen und ergänzen Sie die Verben.

**1** Beatriz de Lima und Enzo Santos ............................ (sein) Brasilianer. Sie ............................

(wohnen) in Dresden und ............................ (lernen) jetzt Deutsch.

**2** Asif Khan ............................ (kommen) aus Pakistan. Er ............................ (sein) Arzt von

Beruf und ............................ (suchen) jetzt Arbeit in Deutschland. Er ............................
(sprechen) schon sehr gut Deutsch.

**3** Sie ............................ (heißen) Tanja und Oleg Makarenko. Sie ............................ (sprechen)

Deutsch, Englisch und Russisch. Ihre Muttersprache ............................ (sein) Ukrainisch.

Sie ............................ (arbeiten) bei Siemens in München.

**5**  Ergänzen Sie die Tabelle.

| | kommen | suchen | heißen | arbeiten | sprechen | sein |
|---|---|---|---|---|---|---|
| ich | *komme* | | | | | |
| du | | | *heißt* | *arbeitest* | *sprichst* | |
| er/sie | | | | | *spricht* | |
| wir | | | | | | |
| ihr | | | | | | *seid* |
| sie (Pl.) | | *suchen* | | | | |
| Sie (formell) | | | | | | |

**6**   Menschen in Deutschland. Ergänzen Sie *er*, *sie* oder *sie* (Pl.).

Das ist Lisa Batiashvili. .............. kommt aus Georgien.

.............. wohnt in der Nähe von München.

Das ist Dimitrij Ovtcharov. .............. kommt aus der Ukraine.

.............. ist Deutscher und .............. wohnt in Düsseldorf.

Das sind Ribery und Ushida. .............. kommen aus Frankreich

und Japan. .............. leben in Deutschland.

**7**   Und Sie? Woher kommen Sie? Was ist Ihre Nationalität? Welche Sprachen sprechen Sie? Schreiben Sie.

*Ich* ..................................................................................................................

...........................................................................................................................

# B   Im Deutschkurs

**8**   Im Deutschkurs. Finden Sie acht Wörter und schreiben Sie die Wörter mit Artikel wie im Beispiel.

1   *die Tafel*          2   ....................          3   ....................          4   ....................

5   ....................          6   ....................          7   ....................          8   ....................

**9a**   Ordnen Sie die Wörter zu und ergänzen Sie den Artikel.

Heft • Bleistift • Uhr • Tisch • Stuhl • Buch • CD • Kugelschreiber

20,- €     12,- €     8,- €     1,- €

1   ....................     2   ....................     3   ....................     4   ....................

5 ........................... 6 ........................... 7 ........................... 8 ...........................

**9b**  Was ist das? Wie viel kostet das? Schreiben Sie Sätze wie im Beispiel.

1  *Das ist ein Tisch. Der Tisch kostet 20 Euro.* ...........................

2  ...........................................................................................................

3  ...........................................................................................................

4  ...........................................................................................................

5  ...........................................................................................................

6  ...........................................................................................................

7  ...........................................................................................................

8  ...........................................................................................................

**10a**  Plural. Was sehen Sie auf dem Bild? Schreiben Sie wie im Beispiel.

> der Bleistift , -e • die Brille, -n • das Buch, "-er • das Heft, -e • die Lampe, -n •
> der Schlüssel, - • der Stuhl, "-e • das Tablet, -s • die Tasche, -n • die Uhr, -en

*Das sind fünf Bleistifte, ...* ...........................................................................

...........................................................................................................

**10b**  Markieren Sie in 10a die Pluralendungen und schreiben Sie die Wörter in die Tabelle.

| -e (+Umlaut) | -en | -n | – | -s | -er +Umlaut) |
|---|---|---|---|---|---|
| das Heft, die Hefte | | | | | |
| | | | | | |
| | | | | | |
| | | | | | |

# C  Zahlen, Zahlen, Zahlen

**11**  Schreiben Sie die Zahlen.

25        49        81

............................ und ........................  ........................ und ........................  ........................ und ........................

**12a**  Ordnen Sie die Zahlen zu und ergänzen Sie die Buchstaben.

16

32

64

128

256

512

1024

ein ...................................... achtund ...............................................

.............................. hundert ...............................

sech ...............................

.............................. vierund ...............................

zweiund ...............................

zwei ............................... sechsund ...........................................

vierund ...............................

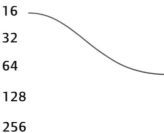

**12b**  Hören Sie die Zahlen und sprechen Sie nach.
*23*

**13**  Wie viel kostet ...? Hören Sie und schreiben Sie die Preise.
*24*

**14**  Wie viel ist ...? Ergänzen Sie.

1  Wie viel ist siebzehn plus drei?

Siebzehn plus drei ist ....................................................

$17+3=20$

2  Wie viel ist dreiunddreißig minus zehn?

Dreiunddreißig minus zehn ist ....................................................

$33-10=23$

3  Wie viel ist neunhundertneunundneunzig minus neunundneunzig?

Neunhundertneunundneunzig minus neunundneunzig ist

....................................................

$999-99=900$

4  Wie viel ist einhundertzwölf plus achtundachtzig?

Einhundertzwölf plus achtundachtzig ist ....................................................

$112+88 = 200$

**15** Telefon-Vorwahlen. Hören Sie die Dialoge und ergänzen Sie die Vorwahlen.

München: ..............................

Frankfurt: ..............................

Berlin: ..............................

Deutschland: ..............................

Österreich: ..............................

Schweiz: ..............................

meine Vorwahl: ..............................

**16** Suchen Sie im Telefonbuch oder im Internet die Telefonnummern.

Polizei ..............................

Feuerwehr/Notruf ..............................

**17** Hören Sie die Dialoge und korrigieren Sie die Telefonnummern.

>        54
> 1. 0316 / ~~45~~ 67 37
> 2. 64 63 08
>
> 3. 0152 / 25 73 53 482
> 4. 030 / 23 90 25

# D Wie ist Ihre Adresse?

**18** Welche Antwort passt? Lesen Sie und kreuzen Sie an.

**1** Wie heißen Sie?
- ☐ **A** Sie heißt Anna.
- ☐ **B** Ich heiße Anna.
- ☐ **C** Sie ist Italienerin.

**2** Was ist Herr Trautmann von Beruf?
- ☐ **A** Ich bin Ingenieur.
- ☐ **B** Sie ist Ingenieur.
- ☐ **C** Er ist Ingenieur.

**3** Wie ist Ihre Adresse?
- ☐ **A** Ich komme aus Köln.
- ☐ **B** Rheinstraße 5 in Köln.
- ☐ **C** 0221/452389.

**4** Woher kommen Sie?
- ☐ **A** Er kommt aus Italien.
- ☐ **B** Wir kommen aus Italien.
- ☐ **C** Sie kommen aus Italien.

**5** Wie alt sind Sie?
- ☐ **A** Ich bin 35.
- ☐ **B** Sie ist 35.
- ☐ **C** Du bist 35.

**6** Wo wohnen Sie?
- ☐ **A** Aus der Schweiz
- ☐ **B** Aus Hamburg.
- ☐ **C** In Hamburg.

**19a** Ordnen Sie die Sätze zu und schreiben Sie einen Text.

1  Das ist
2  Er ist Programmierer
3  Er wohnt
4  Die Handynummer ist
5  Er ist

A  0171 / 451232
B  32 Jahre alt.
C  von Beruf.
D  Heiner Waltermann.
E  in Oldenburg, Sandweg 3.

**19b** Schreiben Sie einen Text wie in 20a.

*Das ist Frau Schmidt. Sie ist*

*25 Jahre alt. Sie ...*

Katharina Schmidt
Altenpflegerin

Lahnstraße 17 • 35398 Gießen • Telefon: 0174 23 98 65

**19c** Und Sie? Schreiben Sie einen Text über sich.

*Ich bin ...*

**20a** Schreibtraining: Groß oder klein? Schreiben Sie die Wörter richtig in die Tabelle.

Fehler +++ Fehler +++ Fehler

spanisch • frankfurt • deutsch • ingenieur • der beruf •
die telefonnummer • zehn • sprechen • europa • leben • lieben •
arbeiten • kommen • martin berger • arzt • berlin

| groß | | | | | klein |
|---|---|---|---|---|---|
| Namen von Personen | Namen von Ländern, Kontinenten und Städten | Sprachen | Berufe | Nomen (=Wörter mit Artikel) | andere Wörter |
| | | | | | |
| | | | | | |
| | | | | | |

**20b** Diktat. Hören Sie die Sätze und schreiben Sie.

**21a** Wie arbeitet man mit einem Wörterbuch? Ordnen Sie die Wörter nach dem Alphabet.

☐ Schokolade ☐ Pizza ☐ Café ☐ Pass ☐ Oper
☐ Kasse ☐1 Apotheke ☐ Formular

**21b** Suchen Sie die Wörter im Wörterbuch und ergänzen Sie die Wörter.

1 ........................ 2 ........................ 3 ........................ 4 ........................

   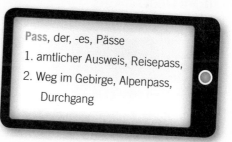

5 ........................ 6 ........................ 7 ........................ 8 ........................

**22a** Artikel und Plural. Markieren Sie im Wörterbuch den Artikel und den Plural.

**Café**, das, -s, -s, Kaffeehaus, Konditorei,
→ café au lait, Milchkaffee

**Pass**, der, -es, Pässe
1. amtlicher Ausweis, Reisepass,
2. Weg im Gebirge, Alpenpass,
   Durchgang

**Formular**, das (-s, -e), Dokument, Schrift-
stück, Formblatt, ein Formular ausfüllen, ein
Formular unterschreiben → Anmeldeformular

**22b** Suchen Sie im Wörterbuch die Artikel und den Plural für die Wörter in 21a.

**23** Abkürzungen. Ordnen Sie zu.

| | | | |
|---|---|---|---|
| 1 | Pl. | A | Euro |
| 2 | m. | B | Straße |
| 3 | f. | C | Telefonnummer |
| 4 | n. | D | Plural |
| 5 | Tel. | E | Nummer |
| 6 | Nr. | F | neutral |
| 7 | € | G | feminin |
| 8 | Str. | H | maskulin |

die Heimat ...........................

wo liegt …? ...........................

in ...........................

### A Nationalität und Sprachen

die Nationalität, -en ...........................

die Sprache, -n ...........................

die Muttersprache, -n ...........................

sprechen, er spricht ...........................

ein bisschen ...........................

arbeiten ...........................

lernen ...........................

lieben ...........................

leben ...........................

suchen ...........................

die Arbeit ...........................

### B Im Deutschkurs

der Stift, -e ...........................

der Kugelschreiber, -
der Kuli, -s ...........................

der Laptop, -s ...........................

das Tablet, -s ...........................

der Schlüssel, - ...........................

der Tisch, -e ...........................

der Stuhl, "-e ...........................

das Buch, "-er ...........................

das Heft, -e ...........................

das Handy, -s ...........................

das Fenster, - ...........................

die Lampe, -n ...........................

die Brille, -n ...........................

die CD, -s ...........................

die Flasche, -n ...........................

die Tür, -en ...........................

die Uhr, -en ...........................

die Tafel, -n ...........................

die Tasche, -n ...........................

kosten ...........................

der Euro, -s ...........................

richtig ...........................

kaputt ...........................

interessant ...........................

### C Zahlen, Zahlen, Zahlen

die Vorwahl, -en ...........................

die Telefonnummer, -n ...........................

### D Wie ist Ihre Adresse?

die Adresse, -n ...........................

die Straße, -n ...........................

die Postleitzahl, -en ...........................

die E-Mail-Adresse, -n ...........................

die Kita, -s ...........................

der Platz, "-e ...........................

frei ...........................

schicken ...........................

das Anmeldeformular, -e ...........................

Vielen Dank ...........................

auf Wiederhören ...........................

........................... ...........................

........................... ...........................

**1a**  Verben. Ordnen Sie die Verben zu.

> 1 arbeiten   2 lernen   3 suchen   4 sprechen

A ☐    B ☐    C ☐    D ☐

**1b**  Ergänzen Sie die Verben aus 1a und kontrollieren Sie dann mit der CD.

28

1  Wörter und Grammatik ............................   3  bei Mercedes ............................

2  ein bisschen Deutsch ............................   4  Arbeit ............................

**1c**  Schreiben Sie zu den Verben einen Satz.

> _lernen_
> _Ich lerne Wörter und_
> _Grammatik._

> ❗ **Lerntipp**
> Lernen Sie neue Verben im Satz. Schreiben Sie die Verben und Sätze auf Lernkarten.

**2**  *Der*, *das* oder *die*? Unterstreichen Sie die Nomen blau (*der*), grün (*das*) und rot (*die*) und ergänzen Sie die Artikel wie im Beispiel.

..*die/eine*..  <u>Arbeit</u>   ..................  Adresse

..................  Beruf   ..................  Jahr

..................  Land   ..................  Platz

> ❗ **Lerntipp**
> Markieren Sie die Artikel in der Wortliste auf Seite 24 und in Ihrem Vokabelheft: der = blau, das = grün, die = rot.

**3**  Was passt zusammen? Es gibt mehrere Möglichkeiten. Machen Sie Ihre persönlichen Lernkarten.

> Vorwahl • Hausnummer • Tür • Nationalität • Bleistift • Anmeldeformular

1  das Papier und der ............................   4  die Kita und das ............................

2  der Schlüssel und die ............................   5  das Land und die ............................

3  die Straße und die ............................   6  die Telefonnummer und die ............................

**4**  Wörter hören und nachsprechen. Hören Sie zu und sprechen Sie nach.

29

1  die Nationalität – die Muttersprache – die Adresse – die Postleitzahl
2  sprechen – lernen – arbeiten – leben – lieben – suchen
3  der Laptop – das Handy – das Tablet – die E-Mail-Adresse

**1**

der Bleistift, -e

**2**

**3**

**4**

**9**

**10**

**11**

**12**

**17**

**18**

das Portemonnaie, -s

**19**

der Radiergummi, -s

**20**

die Schere, -n

**25**

die Tasse, -n

**26**

**27**

**28**

**5**  Ergänzen Sie die Wörter mit Artikel und Plural.

🔊 **6**  Hören Sie die neuen Wörter, lesen Sie mit und sprechen Sie nach.
30

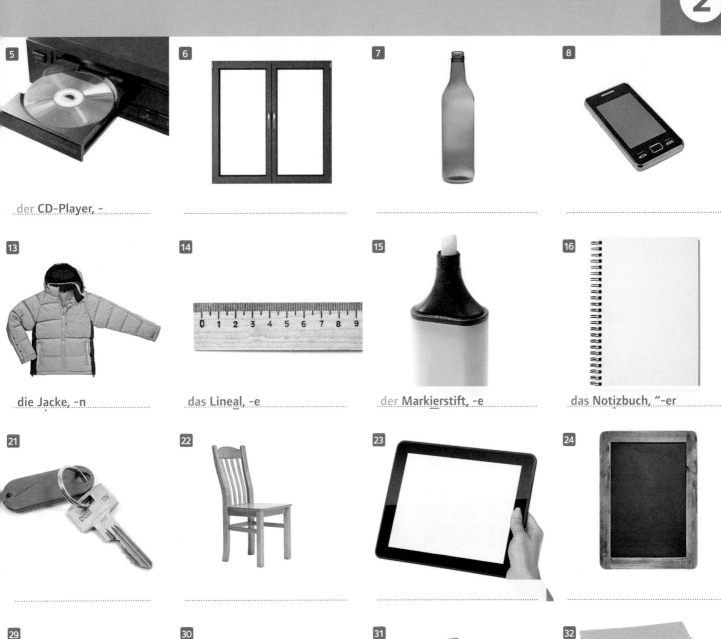

5

der CD-Player, –

6

7

8

13

die Jacke, -n

14

das Lineal, -e

15

der Markierstift, -e

16

das Notizbuch, "-er

21

22

23

24

29

30

31

32

der Zettel, –

---

🔊 **7**
31

Plural. Hören Sie den Plural und sagen Sie den Singular
mit Artikel.

*die Zettel*

*der Zettel*

🔊 **8a**
32

Hören Sie Gruppen von Wörtern. Zeigen Sie die Bilder
und sprechen Sie nach.

**8b**

Üben Sie zu zweit. A sagt eine Gruppe von Wörtern, B zeigt und spricht nach.
Wer kann sich die meisten Wörter mit Artikel merken?

**1** Möbel. Ergänzen Sie den Singular mit Artikel.

*der Schrank* die Schränke .............................. die Stühle .............................. die Tische

.............................. die Regale .............................. die Sessel .............................. die Sofas

.............................. die Bilder .............................. die Teppiche .............................. die Betten

.............................. die Vorhänge .............................. die Lampen .............................. die Fernseher

**2a** Personalpronomen. Ergänzen Sie.

der → .....*er*..... das → .................. die → .................. die (Pl.) → ..................

**2b** Ordnen Sie die Sätze dem Foto zu und ergänzen Sie *er, es, sie, sie* (Pl.).

1 ☑7 Da ist eine Lampe. .................. ist modern.

2 ☐ Da ist ein Stuhl. .................. ist unbequem.

3 ☐ Da ist ein Tisch. .................. ist klein.

4 ☐ Da ist ein Sofa. .................. ist schön.

5 ☐ Da ist ein Fernseher. .................. ist neu.

6 ☐ Da ist ein Regal. .................. ist ordentlich.

7 ☐ Da sind Bilder. .................. sind klein.

8 ☐ Da ist ein Teppich. .................. ist neu.

## A Wir brauchen eine Mikrowelle

**3** Ergänzen Sie *ein/eine/–* oder *kein/keine*.

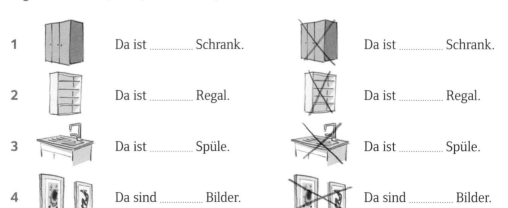

1 Da ist .................. Schrank.     Da ist .................. Schrank.

2 Da ist .................. Regal.     Da ist .................. Regal.

3 Da ist .................. Spüle.     Da ist .................. Spüle.

4 Da sind .................. Bilder.     Da sind .................. Bilder.

**4** Zwei Büros. Ergänzen und schreiben Sie Sätze mit *ein/eine* und mit *kein/keine*.

Im Büro ist ......... Tisch und ......... Laptop.     *Im Büro ist kein* ......

Da ist ......... Lampe und ......... Heft.     ...................................................................

Da sind Bücher und Kugelschreiber.     ...................................................................

**5a** Das Verb *haben*. Ergänzen Sie die Tabelle.

|  | haben |  | haben |
|---|---|---|---|
| ich |  | wir |  |
| du |  | ihr |  |
| er/es/sie |  | sie/Sie |  |

**5b** Ergänzen Sie die Sätze.

**1** Ich ..................... kein Telefon. Ich ..................... ein Handy.

**2** Du ..................... zwei Handys. Ein Handy ist alt und ein Handy ist neu.

**3** Er ..................... einen Bleistift, sie ..................... ein Heft.

**4** Wir ..................... keinen Fernseher. Wir ..................... einen Laptop.

**5** ..................... ihr ein Tablet?

**6** Herr Topal und Frau Schmidt ..................... einen Kühlschrank.

**6** Schreiben Sie fünf Sätze.

| Maria | | einen/keinen | Kühlschrank |
|---|---|---|---|
| Ich | brauchen | eine/keine | Spülmaschine |
| Du | kaufen | ein/kein | Sofa |
| Luciano | haben | -/keine | Blumen |

*1. Maria hat kein Sofa.*
...................................................................

**◄))** **7a** Bei Familie Canfora. Hören Sie das Gespräch. Kreuzen Sie an: Was hat Familie Canfora?
33

**7b** Was haben Frau und Herr Canfora nicht? Was brauchen sie? Schreiben Sie Sätze mit *ein/eine* und *kein/keine*.

*Sie haben kein Regal. Sie brauchen ...*

**8** Lesen Sie den Dialog und ergänzen Sie die Artikel. ⚠ Manchmal gibt es keinen Artikel.

● Guten Tag, ich suche ............... USB-Stick.

● Guten Tag, ............... USB-Sticks finden Sie dort.

● Danke. Und haben Sie auch ............... Kugelschreiber?

● Ja, ............... Kugelschreiber liegen hier. Wie viele brauchen Sie?

● Ich brauche ............... Kuli. Und noch ............... Bleistift.

✦ **9** Welche Möbel haben Sie? Welche Möbel brauchen Sie? Schreiben Sie Sätze.

**10** Farben. Finden Sie zehn Farben (→ ↓) und schreiben Sie sie. ⚠ ß=ss.

| O | F | N | B | R | A | U | N |
|---|---|---|---|---|---|---|---|
| R | S | C | H | W | A | R | Z |
| A | B | L | A | U | G | R | R |
| W | E | I | S | S | R | O | T |
| G | E | L | B | L | Ü | S | S |
| G | R | A | U | P | N | A | U |

1 ............................

2 ............................

3 ............................

4 ............................

5 ............................

6 ............................

7 ............................

8 ............................

9 ............................

10 ............................

**11** Nominativ oder Akkusativ? Ergänzen Sie den bestimmten Artikel.

1 ............. Lehrer schreibt ............. Satz. (der Satz)

2 ............. Lehrer braucht ............. Buch. (das Buch)

3 ............. Lehrerin sagt ............. Wort richtig. (das Wort)

4 ............. Lehrerin hat ............. CD. (die CD)

5 ............. Student lernt ............. Wörter. (Wörter, Pl.)

6 ............. Studentin macht ............. Hausaufgaben. (Hausaufgaben, Pl.)

7 ............. Studenten hören ............. Text. (der Text)

8 ............. Studenten lesen ............. Dialog. (der Dialog)

**12** *Den, das* oder *die*? Ergänzen Sie den bestimmten Artikel im Akkusativ.

1 • Wie findest du ............. Bild? • Langweilig • Hm, ich finde ............. Bild interessant.

2 • Was suchst du? • Ich suche ............. Handy.

3 • Ich brauche ............. Wörterbuch. • Tut mir leid, ich habe ............. Wörterbuch auch nicht.

4 • Ich mache ............. Hausaufgaben und brauche ............. Brille. • Hier, bitte. • Danke.

5 • Ich kaufe ............. Lampe. • Wirklich? Findest du ............. Lampe schön?

6 • Ich brauche ............. Laptop. • Oh, ich brauche ............. Laptop auch.

**13** Wie finden Sie das? Was passt? Ordnen Sie zu.

> okay • sehr schön • hässlich • ganz schön • super • nicht schlecht •
> langweilig • toll • nicht schön • furchtbar • schön

☺ .................... .................... .................... ....................

😐 .................... .................... .................... ....................

☹ .................... .................... .................... ....................

**14a** Hören Sie den Dialog. In welcher Reihenfolge sprechen Markus und Irina über die Möbel? Tragen Sie ein.

☐ das Bild          7 der Tisch

☐ das Sofa          ☐ die Regale

☐ der Sessel        ☐ der Schrank

**14b** Hören Sie noch einmal. Welche Möbel findet Irina schön? Unterstreichen Sie in 14a.

**14c** Wie finden Sie die Möbel? Schreiben Sie sechs Sätze.

1 *Ich finde den Tisch ...*          4 .......................................

2 .......................................          5 .......................................

3 .......................................          6 .......................................

# B   Ist das ein Tisch?

**15a** Was ist das? Ergänzen Sie die Sätze.

1 • Ist das ein Schrank? (der Kühlschrank)

   • *Nein, das ist kein Schrank. Das ist ein ...*

2 • Ist das ein Fernseher? (die Mikrowelle)

   • *Nein,* ...............................................

3 • Ist das ein Bild? (das Foto)

   • *Nein,* ...............................................

4 • Ist das ein Sessel? (der Stuhl)

   • *Nein,* ...............................................

5 • Sind das Kugelschreiber? (der Stift)

   • *Nein,* ...............................................

**15b** Kontrollieren Sie mit der CD und sprechen Sie nach.

## C   Ein Mehrfamilienhaus

**16**   Ein Haus. Was ist wo? Ergänzen Sie.

> im ersten Stock • im Dachgeschoss • im Erdgeschoss • im zweiten Stock •
> im dritten Stock

**17**   In welchem Stock? Was passt zusammen? Ordnen Sie zu.

| | |
|---|---|
| **1** im EG | **A** im zweiten Stock |
| **2** im 1. Stock | **B** im dritten Stock |
| **3** im 2. Stock | **C** im Dachgeschoss |
| **4** im 3. Stock | **D** im ersten Stock |
| **5** im DG | **E** im Erdgeschoss |

**18**   Wer wohnt wo? Schreiben Sie die Antworten.

1   Wer wohnt unten links?   .........................................

2   Wer wohnt im zweiten Stock rechts?   .........................................

3   Wer wohnt im Erdgeschoss rechts?   .........................................

4   Wo wohnen Anke und Hans Jansen?   .........................................

5   Wo wohnt Familie Zafón?   .........................................

## D   Eine Wohnung suchen

36

**19a**   Hören Sie den Text und kreuzen Sie an. Wo wohnt Familie Müller?

**◀)) 19b** Hören Sie noch einmal. Kreuzen Sie an: Richtig oder falsch?
36

|  | | R | F |
|---|---|---|---|
| **1** | Herr und Frau Müller wohnen in der Südstraße 17 in Hannover. | ☐ | ☐ |
| **2** | Das Haus hat zwei Wohnungen. | ☐ | ☐ |
| **3** | Herr und Frau Müller haben keinen Balkon. | ☐ | ☐ |

**20** Schreiben Sie die Fragen an Familie Müller. Hier sind die Antworten.

**1** •  *Wie groß ist ihre Wohnung* ...........?.... • Wir haben eine 3-Zimmer-Wohnung.

**2** • ..............................................? • Die Adresse ist Südstraße 17 in Hannover.

**3** • ..............................................? • Ja, wir wohnen im ersten Stock.

**4** • ..............................................? • Nein, wir haben keine Terrasse.

**21** Ein Haus suchen. Ergänzen Sie die Wörter.

> Miete • Nebenkosten • 4-Zimmer-Wohnung • Einfamilienhaus

Wir haben eine ................................................ .

Wir bezahlen 850 Euro ........................... und 180 Euro ............................... .

Wir haben vier Kinder und die Wohnung ist sehr klein. Wir suchen jetzt ein

................................................ .

**22** Wohnungsanzeigen. Was bedeuten die Abkürzungen? Schreiben Sie.

**EFH, Gartenstadt,** 130 qm,
5 Zi., EBK, Bad, ZH,
Miete: 1050 € + 250 € NK

**23** Schreibtraining. Lesen Sie den Dialog, ergänzen Sie die Punkte (.) und Fragezeichen (?) und schreiben Sie die Satzanfänge groß.

Fehler +++ Fehler +++ Fehler

• wie wohnen Sie       • *Wie* ................................

• ich wohne in einer 3-Zimmer-Wohnung    • ................................

• ist die Wohnung ruhig       • ................................

• es geht, nicht sehr ruhig       • ................................

• haben Sie einen Balkon       • ................................

• ja, er ist schön groß       • ................................

**24** Wohnungssuche. Lesen Sie die Texte und die Zeitungsanzeigen. Welche Wohnung passt für Familie Reder, welche passt für Herrn und Frau Rossi? Ordnen Sie zu.

**1** Herr und Frau Reder haben drei Kinder. Sie brauchen viel Platz: drei Kinderzimmer, ein Schlafzimmer, ein Wohnzimmer, eine Küche und ein Bad. **Anzeige** ☐

**2** Herr und Frau Rossi haben ein Einfamilienhaus in Bissendorf in der Nähe von Osnabrück. Jetzt suchen sie eine Wohnung in Osnabrück. Drei Zimmer sind genug. **Anzeige** ☐

---

### Neue Presse Osnabrück

**VERMIETUNGEN**

**1** **3 Zi.-Whg.** in Wallenhorst, 90 qm, Kü, Bad, Balkon, ruhig und zentral, 950 € + NK

**2** **4-Zi.-Whg.** in Wallenhorst, hell, Balkon, 88qm, 1050 € incl. NK

**3** **EFH** in Osnabrück, ruhige Lage, 5 Zi, Kü, Bad, Garten, Terrasse, 1900 € + NK

**4** **Osnabrück**, 3-Zi.-Wohnung, zentrale Lage, Nähe Bahnhof, 63 qm, Bad, EBK, 450 €+NK

**5** **Osnabrück**, **130 qm**, 4 Zi., Kü, Bad, WC, sonnig, 3.OG, 1200 € + NK#

**MIETGESUCHE**

**6** **Osnabrück** Suche 3-Zimmerwohnung, zentrale Lage, bis 1200 € Warmmiete

**7** **Nähe Osnabrück**, 5-Zi.-Whg. gesucht

**Neue Presse Osnabrück**
- - - - - - - - -
Der große Wohnungsmarkt in Osnabrück!

---

**25a** Im Möbelhaus. Sehen Sie sich das Foto an. Was macht Familie Weber? Was denken Sie? Schreiben Sie Sätze.

..............................................................

..............................................................

..............................................................

..............................................................

..............................................................

**25b** Hören Sie den Dialog. Kreuzen Sie an: Wer braucht neue Möbel?
37

☐ Frau Weber    ☐ Jan Weber    ☐ Herr Weber

**25c** Hören Sie den Dialog noch einmal. Kreuzen Sie an: Richtig oder falsch?
37

|  | R | F |
|---|---|---|
| **1** Jan kauft keine Lampe. | ☐ | ☐ |
| **2** Das Bett kostet 350 Euro. | ☐ | ☐ |
| **3** Herr Weber findet das Bett nicht schön. | ☐ | ☐ |
| **4** Jan braucht keinen Schrank. | ☐ | ☐ |

die Wohnung,-en .......................... | die Spülmaschine, -n ..........................

das Wohnzimmer, - .......................... | die Mikrowelle, -n ..........................

das Schlafzimmer, - .......................... | die Waschmaschine, -n ..........................

die Küche,-n .......................... | die Farbe, -n ..........................

die Möbel, Pl. .......................... | gelb ..........................

der Schrank, "-e .......................... | rot ..........................

der Sessel, - .......................... | rosa ..........................

das Sofa, -s .......................... | lila ..........................

das Regal, -e .......................... | blau ..........................

der Teppich, -e .......................... | grün ..........................

das Bild, -er .......................... | braun ..........................

der Vorhang, "-e .......................... | schwarz ..........................

das Bett, -en .......................... | weiß ..........................

der Fernseher, - .......................... | grau ..........................

der Herd, -e .......................... | orange ..........................

die Spüle, -n .......................... | Wie findest du …? ..........................

modern .......................... | super ..........................

groß .......................... | toll ..........................

klein .......................... | gemütlich ..........................

schön .......................... | ganz schön ..........................

hässlich .......................... | schlecht ..........................

bequem .......................... | langweilig ..........................

unbequem .......................... | furchtbar ..........................

da ist, da sind ..........................

## A  Wir brauchen eine Mikrowelle

## C  Ein Mehrfamilienhaus

haben .......................... | das Erdgeschoss, -e ..........................

brauchen .......................... | der Stock, Pl.: Stockwerke ..........................

kaufen .......................... | im ersten/zweiten/ dritten Stock ..........................

der Kühlschrank, "-e .......................... | das Dachgeschoss, -e ..........................

die Blume, -n .......................... | oben ..........................

| | | | |
|---|---|---|---|
| unten | .................................... | bezahlen | .................................... |
| links | .................................... | die Miete, -n | .................................... |
| rechts | .................................... | die Nebenkosten, Pl. | .................................... |
| das Geschäft, -e | .................................... | kalt | .................................... |
| es gibt | .................................... | warm | .................................... |
| | | hell | .................................... |

### D  Eine Wohnung suchen

| | | | |
|---|---|---|---|
| der Quadratmeter, (qm), - | .................................... | dunkel | .................................... |
| der Balkon, -s/-e | .................................... | laut | .................................... |
| der Garten,"- | .................................... | ruhig | .................................... |
| in der Nähe | .................................... | günstig | .................................... |
| die Zentralheizung, -en | .................................... | | .................................... |

**1** Wörterrätsel. Welche Wörter finden Sie? Schreiben Sie die Wörter mit Artikel und kontrollieren Sie dann mit der CD.

*38*

> ~~Fern~~ • Kühl • Re • Ses • So • Spül • Tep • Vor • Wasch • fa • gal • hang •
> ~~her~~ • ma • ma • schi • ne • ne • schi • schrank • ~~se~~ • sel • pich

1  *der Fernseher* .................... 　4 .................................... 　7 ....................................

2  .................................... 　5 .................................... 　8 ....................................

3  .................................... 　6 .................................... 　9 ....................................

**Lerntipp**
Schreiben Sie Möbelwörter auf gelbe Zettel (Post-it). Kleben Sie die Zettel auf die Möbel zu Hause.

**2** Wörter hören und nachsprechen. Hören Sie zu und sprechen Sie nach.

*39*

1  gemütlich – bequem – ruhig – ordentlich – modern
2  im Erdgeschoss – im ersten Stock – im Dachgeschoss
3  der Balkon – die Nebenkosten – die Zentralheizung – zehn Quadratmeter

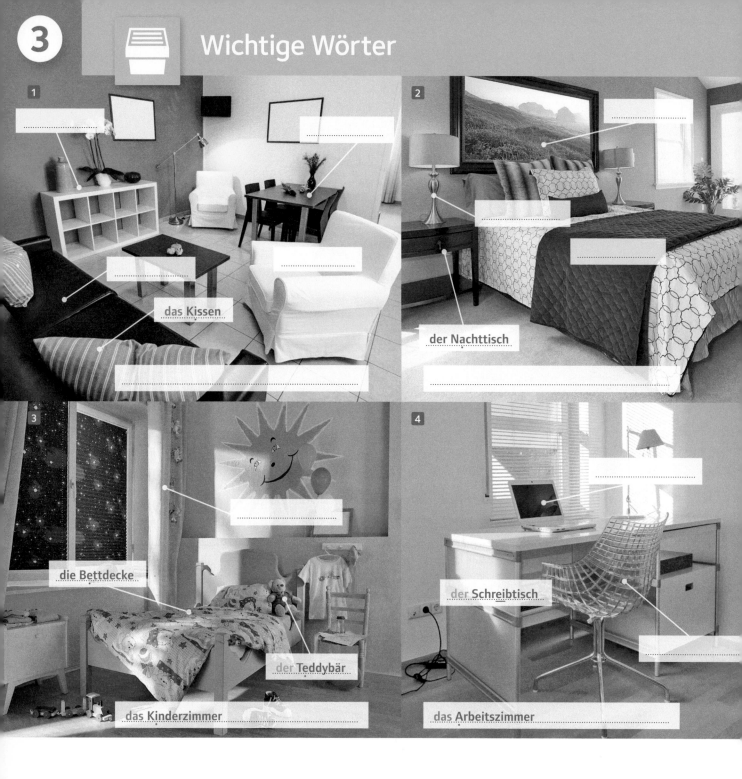

das Kissen

der Nachttisch

die Bettdecke

der Teddybär

das Kinderzimmer

der Schreibtisch

das Arbeitszimmer

**3a** Ergänzen Sie die Wörter mit Artikel.

**3b** Hören Sie und sprechen Sie nach.

**4** Welche Möbel sind in der Wohnung? Schreiben Sie in Ihr Heft.

| | |
|---|---|
| Wohnzimmer: ein Regal, ein Sofa, | Schlafzimmer: |
| Kinderzimmer: | Arbeitszimmer: |
| Küche: | Badezimmer: |
| Balkon: | Keller: |

der Küchenschrank

die Toilette

die Badewanne

das Bad/das Badezimmer

der Blumentopf

die Heizungsanlage

die Wäsche

der Keller

**5a** Wie sind die Zimmer? Schreiben Sie wie im Beispiel.

| groß • klein • hell • dunkel • modern • ordentlich • unordentlich | *Das Kinderzimmer ist dunkel.* |

**5b** Wie finden Sie die Zimmer? Schreiben Sie wie im Beispiel.

| schön • nicht schön • hässlich • interessant • langweilig • gemütlich • ungemütlich | *Das Kinderzimmer ist dunkel.* *Ich finde das Zimmer gemütlich.* |

**◀)))** **1**    **Was sagen Laura und Tobias? Ergänzen Sie. Kontrollieren Sie dann mit der CD.**
41

Thomas · Tobias · Klara · Peter · Stephanie · Laura

> Thomas ist mein ..Vater.. und Stephanie ist meine ............................
> Ich habe einen ........................, er heißt Tobias. Klara ist meine
> ................................ und Peter ist mein .............................................
> Sie haben immer viel Zeit, das finde ich toll.

> Laura ist meine ........................ Stephanie und Thomas sind meine
> ......................... Und Klara und Peter sind meine
> ..................................................

**2**    **Verwandte. Was passt zusammen? Ergänzen Sie.**

1 Großmutter     + ............................     = Großeltern

2 ............................     + Vater     = ............................

3 Schwester     + ............................     = ............................

4 Tante     + ............................

5 ............................     + Cousin

# A   Familienfotos

🔊 42 **3a**   Hören Sie die Dialoge und ordnen Sie zu. Welcher Dialog passt?

DIALOG ☐

DIALOG ☐

🔊 43 **3b**   Hören Sie die Dialoge noch einmal. Wer ist wer? Ergänzen Sie.

**1**  Alberto: *Bruder*......   Maria: ......................   Rita: ......................   Daniel: ......................

**2**  Martin: ......................   Bianca: ......................   Caroline: ......................   Marc: ......................

**4**   Possessivartikel. Ergänzen Sie die Tabelle.

| ich |  | Vater |  | Kind |  | Mutter |  | Großeltern |
|---|---|---|---|---|---|---|---|---|
| du | *dein* | Vater |  | Kind |  | Mutter |  | Großeltern |
| er/es | *sein* | Vater | *sein* | Kind |  | Mutter |  | Großeltern |
| sie |  | Vater |  | Kind |  | Mutter | *ihre* | Großeltern |
| Sie |  | Vater |  | Kind |  | Mutter | *ihre* | Großeltern |

**5**   Lesen Sie die Sätze und ergänzen Sie die Possessivartikel.

**1**  Ich heiße Anita. .................. Bruder heißt Stefan und .................. Frau heißt Beate.

**2**  Frau Sander hat zwei Kinder. .................. Tochter ist 13 und .................. Sohn ist 15 Jahre alt.

**3**  ● Herr Duman, lebt .................. Frau auch in Deutschland?   ● Nein, .................. Frau lebt noch in der Türkei.

**4**  ● Was ist .................. Mann von Beruf, Sandra?   ● .................. Mann ist Buchhalter.

**5**  ● Was ist .................. Frau von Beruf, Herr Klein?   ● .................. Frau ist Musikerin.

**6**   Angaben zur Person. Ergänzen Sie *mein/meine* oder *Ihr/Ihre*.

**1**  ● Wie ist .................. Name?

     ● .................. Nachname ist Monti und .................. Vorname ist Eva.

**2**  ● Und wie ist .................. Adresse?

     ● .................. Adresse ist Schellingstraße 123, 80798 München.

**7** *Sein/seine* oder *ihr/ihre*? Ergänzen Sie die Sätze.

1 Das ist Marvin.

.................... Schwester heißt Leonie.

Das ist .................... Laptop.

Hier liegt .................... Heft.

.................... Handy ist kaputt.

2 Das ist Leonie.

.................... Bruder heißt Marvin.

Das ist .................... Laptop.

Hier liegt .................... Buch.

.................... Brille ist kaputt.

**8** Schreiben Sie zu den Antworten je zwei Fragen: formell und informell.

1 Meine Eltern wohnen in Peru.
2 Mein Vater ist Arzt.

3 Meine Geschwister heißen Sandra und Piero.
4 Mein Sohn ist drei Jahre alt.

> *formell*
> *1. Wo wohnen Ihre Eltern?*
>
> *informell*
> *1. Wo wohnen deine Eltern?*

**9** Und Ihre Familie? Schreiben Sie einen kurzen Text über Ihre Familie.

..............................................................................................................

..............................................................................................................

..............................................................................................................

# B Freizeit mit der Familie

**10** Kreuzworträtsel. Welches Verb passt? Ergänzen Sie. Wie heißt das Lösungswort?

1 Schokolade
2 Türkisch
3 einen Film
4 ein Buch
5 nach Köln
6 eine Freundin
7 Fußball
8 den Bus

| e | s | s | e | n |

~~essen~~ • lesen • sprechen • treffen • spielen • nehmen • sehen • fahren

Lösungswort:

| s | | | | | | | |

**11a** Verben mit Vokalwechsel. Ergänzen Sie die Tabelle.

|          | nehmen | essen | lesen | fahren | schlafen |
|----------|--------|-------|-------|--------|----------|
| ich      |        |       |       |        |          |
| du       |        |       |       |        |          |
| er/es/sie |       |       |       |        |          |
| wir      |        |       |       |        |          |
| ihr      |        |       |       |        |          |
| sie/Sie  |        |       |       |        |          |

**11b** Lesen Sie die Dialoge und ergänzen Sie die Verben.

1 ● Was macht Georg?

   ● Er ........................... (schlafen)

2 ● ........................... Sie das Buch?

   ● Ja, ich ........................... es. (nehmen, nehmen)

3 ● ........................... du Frau Klein?

   ● Nein, sie hat keine Zeit. (treffen)

4 ● ........................... du?

   ● Nein, ich ........................... einen Film. (lesen, sehen)

5 ● ........................... Jan nach Frankfurt?

   ● Ja, er ........................... da einen Freund. (fahren, treffen)

6 ● Was macht Tatjana?

   ● Sie ........................... Schokolade und ........................... einen Film. (essen, sehen)

7 Herr Guardiola ........................... Deutsch, aber seine Muttersprache ist Spanisch. (sprechen)

8 Frau Gupta ........................... nach Berlin. (fahren)

**12** Die Familie von Tom am Sonntag. Wer macht was? Schreiben Sie Sätze.

> schlafen • einen Film sehen • ~~spielen~~ •
> Schokolade essen • Pizza essen •
> ein Buch lesen • eine E-Mail schreiben

*Tom und seine Cousine spielen.* ...........................

...........................

...........................

...........................

**13** *Wo* oder *wohin*? *In* oder *nach*? Ergänzen Sie die Fragewörter und die Präpositionen.

1 ● ........................... wohnen Sie? ● Ich wohne ........................... Hamburg.

2 ● Und ........................... fahren Sie jetzt? ● Ich fahre jetzt ........................... Barcelona.

3 ● Und ich bin jetzt ........................... Barcelona und fahre morgen ........................... Hamburg.

**14** Was ist richtig? Streichen Sie die falschen Wörter.

1 eine Radtour          machen – ~~fahren~~ – ~~gehen~~
2 eine Stadt            kaufen – besichtigen – machen
3 ein Straßenfest       tanzen – besuchen – essen
4 Lebensmittel          leben – gehen – kaufen
5 Sehenswürdigkeiten    besuchen – besichtigen – machen

**15a** Bremen. Hören Sie das Telefongespräch. Kreuzen Sie an: Was besichtigen Evia und Ivan zuerst?

Der Roland

Das Schnoorviertel

Die Böttcherstraße

Die Bremer Stadtmusikanten

**15b** Hören Sie das Telefongespräch noch einmal. Kreuzen Sie an: Richtig oder falsch?

|   |   | R | F |
|---|---|---|---|
| 1 | Evia und Ivan frühstücken in der Böttcherstraße. | ☐ | ☐ |
| 2 | Sie besichtigen das Schnoorviertel. | ☐ | ☐ |
| 3 | Ivan macht gern Hafenrundfahrten. | ☐ | ☐ |
| 4 | Sie besichtigen den Hafen. | ☐ | ☐ |

**16** Was macht Herr Tsoulis am Wochenende? Schreiben Sie Sätze mit *zuerst*, *dann* und *danach*.

> **1** Lebensmittel kaufen • **2** einen Freund besuchen • **3** zu Mittag essen •
> **4** einen Kaffee trinken • **5** einen Film sehen

1 Zuerst      *kauft*       *er* .............................................................. .

2 Dann        .............................................................................. .

3 Danach      .............................................................................. .

4 Dann        .............................................................................. .

5 Danach      .............................................................................. .

**17** Ergänzen Sie die Antworten mit *kein/keine/keinen*.

1 • Gibt es in Köln eine Böttcherstraße?
• Nein, es gibt ............... Böttcherstraße in Köln.

2 • Gibt es in München einen Hafen?
• Nein, es gibt ............... Hafen in München.

3 • Gibt es in Jena einen Marienplatz?
• Nein, es gibt ............... Marienplatz in Jena.

4 • Gibt es am Wochenende ein Straßenfest?
• Nein, es gibt am Wochenende ............... Straßenfest.

**18** Was machen wir? Schreiben Sie einen Dialog. Die Dialoggrafik hilft.

kommen – wann?

am Samstag / machen – was?

zuerst – einen Freund – besuchen /
dann – die Stadt – besichtigen

auch ein Straßenfest – besuchen?

nein, am Samstag – kein Straßenfest

• *Hallo, Jan! Wann kommst du?* ...............
• ...............
...............
• ...............
...............
• ...............
• ...............

**19** Welche Sehenswürdigkeiten gibt es in Ihrem Wohnort? Schreiben Sie einen Dialog wie in 18.

• *Hallo Beata! Wann kommst du?* ...............
• ...............

# C   Familien früher

**20** Früher und jetzt. Was passt? Ordnen Sie die Sätze zu.

Früher war ich ein Kind. • Jetzt habe ich ein Kind. •
Jetzt bin ich Mutter. • Früher hatte ich kein Kind.

1 ...............
...............

2 ...............
...............

**21a** *Haben* und *sein* im Präteritum. Ergänzen Sie die Tabelle.

|  | haben |
| --- | --- |
| ich | *hatte* |
| du | |
| er/es/sie | |
| wir | |
| ihr | |
| sie/Sie | |

|  | sein |
| --- | --- |
| ich | *war* |
| du | |
| er/es/sie | |
| wir | |
| ihr | |
| sie/Sie | |

**21b** *Haben* oder *sein*? Ergänzen Sie *haben* oder *sein* im Präteritum.

1 • .................... du früher Arbeit • Nein, früher .................... ich keine Arbeit.

2 • .................... deine Großmutter viele Geschwister? • Ja, sie .................... vier Brüder.

3 • .................... du schon in Warschau? • Nein, aber ich .................... schon in Krakau.

4 • .................... ihr schon im Reichstag? • Ja, und am Potsdamer Platz .................... wir auch.

5 • .................... Julia schon in Kolumbien? • Nein, aber sie .................... schon in Brasilien.

**22** Früher und jetzt. Ergänzen Sie *haben* und *sein* im Präsens oder Präteritum.

1 Früher .................... die Familien in Deutschland groß. Jetzt .................... sie oft klein.

2 Früher .................... wir viel Zeit. Jetzt .................... wir keine Zeit.

3 Früher .................... ich eine Wohnung. Jetzt .................... ich ein Haus.

4 Früher .................... Beata Köchin. Jetzt .................... Beata Chefköchin.

**23a** Schreibtraining. Umlaute. Schreiben Sie die Pluralformen.

der Sohn, "-e   Plural: *die Söhne*   die Tochter, "-   Plural: ....................

der Bruder, "-   Plural: ....................   das Haus, "-er   Plural: ....................

**23b** Korrigieren Sie den Text und ergänzen Sie die Punkte für die Umlaute (ä, ö, ü).

Fehler +++ Fehler +++ Fehler

Roberto wohnt in Frankfurt. Am Wochenende fahrt er nach Berlin. Er besucht seine zwei Bruder. Sie leben in Berlin. Sie besichtigen zusammen viele Sehenswurdigkeiten. Er findet Berlin schon. Dann gehen sie einkaufen. Roberto kauft drei Bucher. Sie essen zusammen und Roberto schlaft in Berlin. Am Sonntag fahrt er wieder nach Frankfurt.

**23c** Hören und kontrollieren Sie dann mit der CD.

45

**24** Meine Familie. Machen Sie einen Stammbaum.

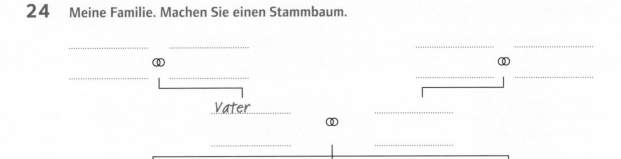

**25a** Grüße aus Dresden. Lesen Sie die Karte und beantworten Sie die Fragen.

Hallo Lisa,
endlich bin ich in Dresden. Die Stadt ist toll! Heute
besichtigen Martin und ich den Zwinger und die
Frauenkirche. Morgen machen wir einen Spaziergang
an der Elbe und gehen dann in das Residenzschloss.
Am Abend gehen wir in ein Konzert in der Semperoper.
Was machst du? Wann kommst
du wieder nach Stuttgart?
Viele Grüße
Karina

Lisa Dressler

Baumweg 8a

60316 Frankfurt

**1** Wer ist in Dresden?

**2** Was machen sie heute?

**3** Was machen sie morgen?

**25b** Schreiben Sie Karina eine Karte. Schreiben Sie zu jedem Punkt einen Satz.

- Sie waren schon in Dresden. Sie finden die Stadt schön.
- Ihr Wochenende: eine Freundin / einen Freund in Regensburg besuchen
- Am Samstag: eine Schifffahrt auf der Donau machen und ins Kino gehen

Liebe Karina,

vielen Dank für deine Karte. Ich war

Ich komme im Sommer nach Stuttgart. Jetzt habe ich viel Arbeit und keine Zeit.

Bis bald und viele Grüße.

der Vater, "-  ......................................

die Mutter, "-  ......................................

die Eltern, Pl.  ......................................

der Bruder, "-  ......................................

die Schwester, -n  ......................................

die Geschwister, Pl.  ......................................

der Onkel, -  ......................................

die Tante, -n  ......................................

der Sohn, "-e  ......................................

die Tochter, "-  ......................................

### A Familienfotos

das Foto, -s  ......................................

zu Hause  ......................................

studieren  ......................................

### B Freizeit mit der Familie

die Freizeit, Sg.  ......................................

die Familie, -n  ......................................

alle  ......................................

faulenzen  ......................................

schlafen  ......................................

essen  ......................................

lesen  ......................................

sehen  ......................................

nehmen  ......................................

fahren  ......................................

treffen  ......................................

die Schokolade, Sg.  ......................................

die Pizza, -s/Pizzen  ......................................

der Film, -e  ......................................

nach: nach Berlin  ......................................

nach Hause  ......................................

Zeit haben  ......................................

gern, gerne  ......................................

die Sehenswürdigkeit, -en  ......................................

das Wochenende, -n  ......................................

am Wochenende  ......................................

bleiben  ......................................

chillen  ......................................

der Tag, -e  ......................................

wo  ......................................

wohin  ......................................

die Radtour, -en  ......................................

der Supermarkt, "-e  ......................................

die Lebensmittel, Pl.  ......................................

besichtigen  ......................................

besuchen  ......................................

das Straßenfest, -e  ......................................

zu Mittag essen  ......................................

der Kaffee, Sg.  ......................................

trinken  ......................................

kennen  ......................................

zuerst  ......................................

dann  ......................................

danach  ......................................

### C Familien früher

früher  ......................................

alles anders  ......................................

......................................

**1** Familienwörter. Bilden Sie Wortpaare und sprechen Sie sie.

~~Onkel~~ • Schwester • Mutter • Sohn • ~~Tante~~ • Bruder • Tochter • Vater

*mein Onkel und meine Tante*

**!**
Lerntipp
Lernen Sie Familienwörter in Paaren.

**2** Was können Sie über Ihre Familie sagen? Schreiben Sie Fragen und Antworten auf Karten. Üben Sie dann zu zweit.

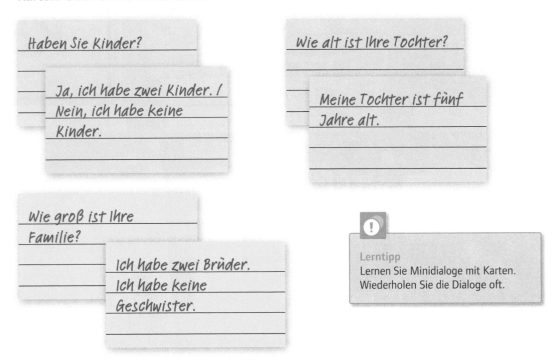

*Haben Sie Kinder?*

*Ja, ich habe zwei Kinder. /
Nein, ich habe keine
Kinder.*

*Wie alt ist Ihre Tochter?*

*Meine Tochter ist fünf
Jahre alt.*

*Wie groß ist Ihre
Familie?*

*Ich habe zwei Brüder.
Ich habe keine
Geschwister.*

**!**
Lerntipp
Lernen Sie Minidialoge mit Karten.
Wiederholen Sie die Dialoge oft.

**3** Was passt zusammen? Verbinden Sie die Nomen und die Verben und schreiben Sie Sätze.

eine Radtour • Sehenswürdigkeiten •
Lebensmittel • zu Mittag • einen Kaffee • ein Straßenfest • meine Freunde

besuchen • treffen •
machen • trinken • besichtigen •
essen • kaufen

1 ........................................................
2 ........................................................
3 ........................................................

4 ........................................................
5 ........................................................
6 ........................................................

**4** Wörter hören und nachsprechen. Hören Sie zu und sprechen Sie nach.

46

1 die Lebensmittel – der Supermarkt – die Schokolade – die Sehenswürdigkeit
2 schlafen – sehen – fahren – treffen – nehmen
3 zuerst – dann – danach – früher – jetzt

Diego

eine Zeitung *lesen*

im Restaurant

eine Radtour

eine Schifffahrt auf dem Rhein

Köln

nach Köln

eine E-Mail

eine Pizza im Supermarkt

den Dom besichtigen

**5** Sehen Sie die Fotos an und ergänzen Sie die Verben.

> besuchen • essen • essen • essen • fahren • kaufen • lernen • ~~lesen~~ •
> machen • machen • machen • nehmen • schreiben • trinken

**6** Kontrollieren Sie mit der CD. Hören Sie und sprechen Sie nach.

47

**7** Was macht Diego? Was macht Isabel? Sagen Sie Sätze wie im Beispiel.

> Isabel besucht ihre Großeltern.

> Diego liest eine Zeitung.

Isabel

einen Kaffee

den Bus

zu Mittag

im Restaurant

chillen

eine Schifffahrt auf dem Rhein

Deutsch

ihre Großeltern

🔊 48 **8a** Wer macht was wann? Hören Sie und nummerieren Sie die Aktivitäten.

**8b** Schreiben Sie die Geschichte.

*Diego liest zuerst eine Zeitung. Danach macht er ...*

**9** Was machen Sie gern am Wochenende? Schreiben Sie Sätze.

*Ich mache oft eine Radtour. ...*

**1**   Lesen Sie und ergänzen Sie in A–I.

✓   ✗   **Ich kann auf Deutsch**

☐   ☐   **A**   sagen, wie es mir geht und fragen, wie es jemandem geht.

**1** ● Herr Meier, wie _____ es _____.   **2** ● Hallo Susanne, wie _____ es _____?

● Danke, _____ ☺. Und Ihnen?   ● Danke, _____. Und _____?

● Auch _____ ☺.   ● Es _____ ☹.

☐   ☐   **B**   meinen Namen, mein Heimatland, meinen Beruf und meine Adresse sagen

● Wie heißen Sie?

● ...........................................................................................................

● Woher kommen Sie?

● ...........................................................................................................

● Was sind Sie von Beruf?

● ...........................................................................................................

● Wie ist Ihre Adresse?

● ...........................................................................................................

☐   ☐   **C**   Zahlen verstehen und meine Telefonnummer sagen.

acht: _8_   vierzig: _____   dreizehn: _____   zweiunddreißig: _____   hundertsechs: _____

● Entschuldigung, wie ist Ihre Telefonnummer?

● _Meine_ ......................................................................................................

☐   ☐   **D**   sagen, welche Sprachen ich spreche.

● Welche Sprachen _____ Sie?

● Ich _____ und ein bisschen _____.

☐   ☐   **E**   über meine Wohnung sprechen.

Ich wohne im zweiten _____ Wir haben eine 3-Z_____ -W_____.

Die W_____ ist 120 qm g_____! Sie ist aber nicht t_____. Ich

brauche noch M_____. Im Wohnzimmer habe ich noch keinen S_____

und keine B_____

**F**    nach Preisen fragen und Preise sagen.

**A**    1,19 €

- Wie viel ............................ das Brot?
- Es ............................ 1,19 €.

**B**    249 €

- ............................................................................
- ...................................................... 249 €.

**G**    sagen, dass mir etwas (nicht) gefällt.

**1** • ............................ findest du den Stuhl?

- Ich finde den Stuhl ............................ 😊.
- Oh nein, der Stuhl ist ............................ 😞!

**2** • ............................................................................

- ...................................................... 😞.
- ...................................................... 😊.

**H**    über meine Familie sprechen.

- Wie ............................ ist Ihre Familie?
- Ich habe ............................ Geschwister.
- ............................ Sie Kinder?
- Ja, ich habe ............................ Kinder. / Nein, ich habe ............................ Kinder

**I**    etwas planen.

> Lebensmittel kaufen • einen Stadtbummel machen • den Hafen besichtigen •
> ein Straßenfest besuchen

*Zuerst kaufen wir* ....................................................................................................

*Dann* ....................................................................................................................

............................................................................................................................

**2**    Kontrollieren Sie mit den Lösungen und markieren Sie ✓ für *kann ich* und ✗ für *kann ich nicht so gut.*

**1**  Was machen die Leute? Sehen Sie die Fotos an und schreiben Sie Sätze.

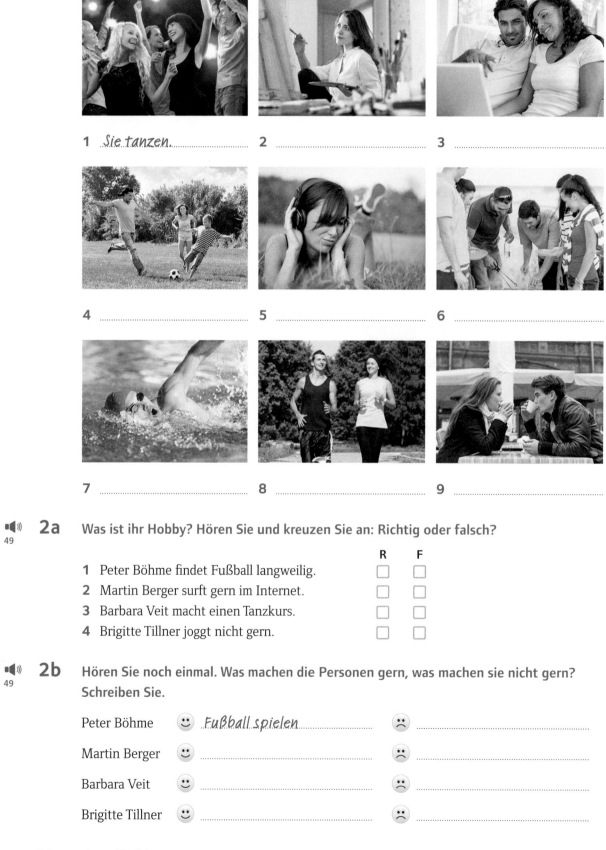

1  *Sie tanzen.*

2  _____

3  _____

4  _____

5  _____

6  _____

7  _____

8  _____

9  _____

**2a** 🔊 49  Was ist ihr Hobby? Hören Sie und kreuzen Sie an: Richtig oder falsch?

|  | R | F |
|---|---|---|
| 1  Peter Böhme findet Fußball langweilig. | ☐ | ☐ |
| 2  Martin Berger surft gern im Internet. | ☐ | ☐ |
| 3  Barbara Veit macht einen Tanzkurs. | ☐ | ☐ |
| 4  Brigitte Tillner joggt nicht gern. | ☐ | ☐ |

**2b** 🔊 49  Hören Sie noch einmal. Was machen die Personen gern, was machen sie nicht gern? Schreiben Sie.

Peter Böhme  ☺ *Fußball spielen* _____  ☹ _____

Martin Berger  ☺ _____  ☹ _____

Barbara Veit  ☺ _____  ☹ _____

Brigitte Tillner  ☺ _____  ☹ _____

# A   Wie spät ist es?

**3**   Uhrzeiten. Ordnen Sie zu.

> halb • Viertel nach • zwanzig nach • zehn vor • zehn nach • Viertel vor •
> zwanzig vor

Es ist …

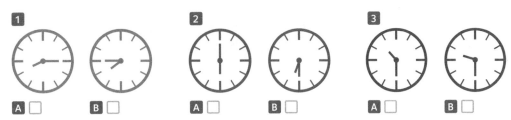

**4**   Wann beginnt …? Hören Sie und kreuzen Sie an.

1   A ☐   B ☐
2   A ☐   B ☐
3   A ☐   B ☐

**5**   Welche Antwort passt? Ordnen Sie zu.

1   Wann beginnt der Deutschkurs?          A   Ja, genau.
2   Und bis wann geht der Kurs?            B   Um neun.
3   Geht der Kurs also von neun bis zwölf? C   Um halb eins. Dann esse ich.
4   Und wann kommst du nach Hause?         D   Bis zwölf Uhr.

**6a**  Wie spät ist es? Uhrzeiten offiziell und nicht offiziell. Schreiben Sie.

1   halb neun          *8:30 / 20:30*          5   zwanzig vor eins    ...........................
2   fünf nach drei     ...........................  6   Viertel vor elf     ...........................
3   zehn vor sechs     ...........................  7   zwölf Uhr           ...........................
4   Viertel nach vier  ...........................  8   zehn nach sechs     ...........................

**6b** Wie spät ist es? Schreiben Sie die Uhrzeiten offiziell und nicht offiziell.

**1** 07:45 *Es ist sieben Uhr fünfundvierzig.* *Es ist Viertel vor acht.*

**2** 11:05 ......................................................... .........................................................

**3** 13:20 ......................................................... .........................................................

**4** 19:45 ......................................................... .........................................................

**5** 23:20 ......................................................... .........................................................

**7** Das Fernsehprogramm. Ergänzen Sie *um*, *bis* und *von…bis*.

**1** • Wann ist heute das Fußballspiel? • Moment, hier steht ........... Viertel vor neun.

**2** • Heute kommt ein Film. • Ja, aber so spät! Er geht ........... zehn ........... zwölf.

**3** • Bis wann geht der Krimi? • ........... Viertel nach acht.

# B  Was macht Frau Costa am Samstag?

**8** Ein Tag von Hannes. Ordnen Sie die Sätze zu und ergänzen Sie dann die Infinitive.

**1** Dann kauft er ein. *einkaufen*.............. **4** Hannes steht um halb acht auf. ..............

**2** Danach sieht er fern. .............................. **5** Er räumt sein Zimmer auf. ..............

**3** Er geht mit Martin aus. ..............................

**9** Was machen Silvia und Sebastian am Samstag? Ergänzen Sie die Verben.

mitnehmen • mitkommen • ~~aufstehen~~ • fernsehen • einkaufen • aufräumen

| | | | |
|---|---|---|---|
| **1** Silvia und Sebastian | *stehen*...... | um neun Uhr | *auf*............. |
| **2** Sebastian | ................... | die Wohnung | ................... |
| **3** Silvia | ................... | Lebensmittel | ................... |
| **4** Sie | ................... | ihre Tochter | ................... |
| **5** Dann gehen sie schwimmen. Eine Freundin | ................... | | ................... |
| **6** Um 20 Uhr | ................... | sie alle | ................... |

**10** Was macht Claudia Costa am Samstag? Schreiben Sie Sätze wie im Beispiel. Kontrollieren Sie dann mit der CD und sprechen Sie nach.

**1** einkaufen          *Claudia kauft ein.*

    am Samstag          *Claudia kauft am Samstag ein.*

    am Samstag Lebensmittel    *Claudia kauft am Samstag Lebensmittel ein.*

**2** anrufen          *Claudia...*

    Martin

    Martin oft

**3** ausgehen

    am Samstag

    am Samstag gern

**11** Was fehlt? Ergänzen Sie.

> an • mit • an • auf • fern • ein

**1** • Wann fängt der Film ............? • Um neun Uhr. Danielle kommt ............ .

**2** • Kaufst du heute ............? • Ja, und räumst du die Wohnung ............?

**3** • Was machst du jetzt? • Zuerst rufe ich Hans ............ und dann sehe ich ............ .

**12** Zeitangaben im Satz. Schreiben Sie die Sätze neu. Beginnen Sie mit den Zeitangaben.

**1** Julia geht **um halb zwei** spazieren.    *Um halb zwei geht*

**2** Sie macht **von zwei bis drei** Hausaufgaben.    *Von zwei*

**3** Sie geht **dann** einkaufen.

**4** Sie isst **um halb sieben** Pizza.

**5** Sie ruft **um 20 Uhr** ihre Freundin an.

**6** Sie machen **am Wochenende** einen Ausflug.

## C Meine Woche

**13** Wie heißen die Wochentage? Ergänzen Sie im Wochenplan.

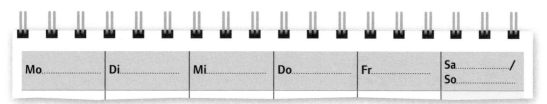

| Mo............ | Di............ | Mi............ | Do............ | Fr............ | Sa............ / So............ |

**14** Die Woche von Maria. Ergänzen Sie die Wochentage.

| Montag | Dienstag | Mittwoch | Donnerstag | Freitag | Samstag/ Sonntag |
|---|---|---|---|---|---|
| 9–12 Uhr: Arbeit | 10.30 Uhr: Friseur | ab 19.00 Uhr: Arbeit | 10.00 Uhr: Constanza | 13.00 Uhr: Arbeit | München |
| | 20.30 Uhr: Kino | | | | |

1 Am .......................... trifft Maria eine Freundin.

2 Am .......................... geht sie ins Kino.

3 Am .........................., .......................... und .......................... arbeitet sie.

4 Am .......................... hat sie einen Friseurtermin.

5 Am .......................... und .......................... ist sie in München.

**15** Am Tag und in der Nacht. Ergänzen Sie die Tageszeiten.

..am Morgen.......... .......................... .......................... .......................... ..........................

**16** Was passt? Ergänzen Sie die Präpositionen *am* oder *um*.

● Gehen wir .............. Donnerstag ins Kino?

● Ja. .............. Donnerstag habe ich Zeit. Und .............. wie viel Uhr?

● Der Film beginnt .............. neun und geht bis halb zwölf.

● So lange? Das ist schlecht. Kommt der Film auch .............. Samstag?

● Ja, und schon .............. 15 Uhr. Gehen wir am Samstag?

**17** Was macht Manuel wann? Lesen Sie den Plan und schreiben Sie Sätze.

| Montag |
|---|
| 9–12.30 Uhr arbeiten |
| 15.00 Uhr einkaufen |
| 20.00 Uhr Susanne treffen |
| **Dienstag** |
| 10.00 Uhr Fahrrad reparieren |
| 12.00 Uhr Ausflug machen mit Susanne |
| 16.00 Uhr schwimmen gehen |
| 20.00 Uhr kochen mit Susanne |

Am Montagvormittag arbeitet Manuel.
..........................................................
..........................................................
..........................................................
..........................................................
..........................................................
..........................................................

**18a** Was machen Sie am Wochenende? Ergänzen Sie den Terminkalender.

| essen mit… • arbeiten • Deutsch lernen • …anrufen • …besuchen • … |
|---|

| Freitag | Samstag | Sonntag |
|---|---|---|
| 9–12.00 Uhr: Deutsch lernen | | |

**18b** Was machen Sie wann? Schreiben Sie Sätze.

Am Freitagvormittag lerne ich von 9 bis 12 Uhr Deutsch.

# D   Hast du Zeit?

**19**   Textkaraoke. Hören, lesen und sprechen Sie die 👄-Rolle im Dialog.

52

👂 …

👄 Heute habe ich keine Zeit, ich arbeite am Abend.

👂 …

👄 Ja, morgen geht es um 18.00 Uhr.

👂 …

👄 O.k. Um 19 Uhr?

👂 …

👄 Bis morgen.

**20**   Ist die Antwort positiv oder negativ? Lesen Sie und kreuzen Sie an.

|  | 🙂 | ☹ |
|---|---|---|
| **1** • Kommst du heute Abend? <br> • Nein, ich habe keine Lust. | ☐ | ☐ |
| **2** • Hast du heute Zeit? <br> • Ja, ich habe Zeit. Was machen wir? | ☐ | ☐ |
| **3** • Gehen wir am Sonntag tanzen? <br> • Ja, das geht. | ☐ | ☐ |
| **4** • Kannst du am Freitagabend kommen? <br> • Nein, leider nicht. | ☐ | ☐ |
| **5** • Fahren wie zusammen nach Berlin? <br> • Ja gerne, wann? | ☐ | ☐ |

**21** Schreiben Sie einen Dialog. Die Dialoggrafik hilft.

ins Kino-gehen? — :) wann?

Samstagabend / 20 Uhr?

:( Eltern kommen am Wochenende

wann-Zeit?

vielleicht-Sonntagabend / Film-beginnt-wann?

19 Uhr

geht / Eltern bleiben bis Sonntagmittag

:) bis Sonntagabend

• ....................................
• ....................................
• ....................................
• ....................................
• ....................................
• ....................................
• ....................................
• ....................................
• ....................................

**22a** Hören Sie zu und kreuzen Sie an. Was machen Marina und Katja?
53

1 ☐   2 ☐   3 ☐

**22b** Hören Sie den Dialog noch einmal und kreuzen Sie an: Richtig oder falsch?
53

|   |   | R | F |
|---|---|---|---|
| 1 | Marina und Katja wohnen in Köln. | ☐ | ☐ |
| 2 | Katja hat heute Abend keine Zeit. | ☐ | ☐ |
| 3 | Marina trifft am Donnerstag Freunde. | ☐ | ☐ |
| 4 | Katja und Marina gehen am Freitag essen. | ☐ | ☐ |
| 5 | Am Samstag fahren sie nach Bremen. | ☐ | ☐ |

**23** Schreibtraining: Vokal + *h*. Hören Sie und ergänzen Sie.
54

ah • ah • eh • eh • eh • Ih • ih • oh • oh • uh • äh • üh

1 Wie g.........t es .........nen?

2 Der L.........rer w.........nt in der N.........e.

3 In der Küche ist ein St.........l und ein K.........lschrank.

Vokal+*h*:
Lange Vokale schreibt man oft mit *h*.
Das *h* spricht man nicht.

4 Mein S.........n hat ein F.........rrad.

5 N.........mt .........r die S-B.........n?

**24** Wann findet was statt? Lesen Sie und ergänzen Sie den Wochenplan.

**1** ☐ **Hertha BSC – SC Freiburg**
Olympiastadion Samstag 15.30 Uhr
Karten: 622 45 66

**5** ☐ **Deutsche Oper Berlin**
Bismarckstraße 35
10627 Berlin
Freitag, 11.04., 19.00 Uhr: Don Giovanni
von W.A. Mozart

**2** ☐ **China Restaurant Ming**
Brückenstraße 1, 10179 Berlin
(030) 76684957
Jeden Samstag von 18.00 bis 23.00 Buffet.

**6** ☐ **Theater am Potsdamer Platz**
Marlene-Dietrich-Platz 1
10785 Berlin
Hinterm Horizont. Das Berlin-Musical.
Samstag, 12.4., 19.00 Uhr

**3** ☐ **Philharmonie Berlin**
Herbert-von-Karajan-Str. 1, 10785 Berlin
Werke von Schumann und Beethoven
Freitag, 11.4. 20.00 Uhr

**7** ☐ **Filmmuseum**
Samstag, 12.4 und Sonntag,
13.4. um 15.00 Uhr
Der Navigator, Regie: Buster Keaton
USA 1925 Stummfilm mit
Klavierbegleitung
Potsdamer Str. 2, 10785 Berlin

**4** ☐ **Berliner Ensemble**
Bertolt-Brecht-Platz 1, 10117 Berlin
Was ihr wollt – Shakespeare
Sonntag, 13.4., 20 Uhr

🔊 55 **25 a** Hören Sie den Dialog. Über welche Veranstaltungen sprechen Jochen und Franka?
Kreuzen Sie in 24 an.

| Freitag, 11.4. | Samstag, 12.4. | Sonntag, 13.4. |
|---|---|---|
| *19 Uhr, Mozart, Don Giovanni* | | |
| | | |
| | | |
| | | |

🔊 55 **25b** Hören Sie den Dialog noch einmal und kreuzen Sie an: Richtig oder falsch?

|  | R | F |
|---|---|---|
| **1** Jochen findet Fußball interessant. | ☐ | ☐ |
| **2** Franka mag keine Musik. | ☐ | ☐ |
| **3** Jochen und Franka gehen am Samstag ins Filmmuseum. | ☐ | ☐ |
| **4** Jochen hat am Sonntag keine Zeit. | ☐ | ☐ |
| **5** Jochen und Franka kochen zusammen. | ☐ | ☐ |

Fußball spielen .....................

joggen .....................

ein Bild malen .....................

tanzen .....................

im Internet surfen .....................

grillen .....................

Musik hören .....................

schwimmen .....................

das Hobby, -s .....................

(nicht) gern, gerne .....................

## A  Wie spät ist es?

spät .....................

Wie spät ist es? .....................

halb .....................

Viertel vor .....................

Viertel nach .....................

um .....................

beginnen .....................

Um wie viel Uhr? .....................

enden .....................

gehen .....................

von … bis .....................

Der Kurs geht von neun bis zwölf. .....................

die Pause, -n .....................

der Zug, "-e .....................

der Radiowecker, - .....................

klingeln .....................

das Flugzeug, -e .....................

der Krimi, -s .....................

## B  Was macht Frau Costa am Samstag?

an}rufen .....................

das Kino, -s .....................

an}fangen .....................

auf}hören .....................

auf}stehen .....................

auf}räumen .....................

ein}kaufen .....................

mit}nehmen .....................

die Zeitung, -en .....................

fern}sehen .....................

aus}gehen .....................

weg}fahren .....................

mit}kommen .....................

statt}finden .....................

aus}fallen .....................

ein}kaufen gehen .....................

spazieren gehen .....................

jeden Tag .....................

der Ausflug, "-e .....................

heute .....................

## C  Meine Woche

die Woche, -n .....................

der Montag, -e .....................

der Dienstag, -e .....................

der Mittwoch, -e .....................

der Donnerstag, -e .....................

der Freitag, -e .....................

der Samstag, -e .....................

der Sonntag, -e .....................

| | | |
|---|---|---|
| die Hausaufgabe, -n | .................... | **D  Hast du Zeit?** |
| das Fahrrad, "-er | .................... | Schach spielen | .................... |
| reparieren | .................... | zusammen | .................... |
| am Morgen | .................... | vielleicht | .................... |
| am Vormittag | .................... | Lust haben | .................... |
| am Mittag | .................... | Zeit haben | .................... |
| am Nachmittag | .................... | später | .................... |
| am Abend | .................... | leider | .................... |
| in der Nacht | .................... | kochen | .................... |
| die Fahrkarte, -n | .................... | | .................... |
| der Dienstagabend, -e | .................... | | .................... |

**1**  Sammeln Sie trennbare Verben aus der Wortliste auf Seite 62 und 63 und schreiben Sie Minidialoge.

an}fangen
_____

+ Wann fängt der
Film an?
– Um acht Uhr.

ein}kaufen
_____

+ Was kaufen Sie
heute ein?
– Lebensmittel.

**!**

**Lerntipp**
Schreiben Sie trennbare Verben im Satz: Schreiben Sie die Verben auf Karten und markieren Sie die Vorsilben, zum Beispiel: an}fangen. Schreiben Sie dann einen Satz mit den Verben.

**2**  Was passt zusammen? Ordnen Sie zu und schreiben Sie Sätze wie im Beispiel.

ein Bild • im Internet • Musik •
einkaufen • Schach • ein Fahrrad •
Fußball • spazieren • ins Kino

gehen • gehen • gehen •
hören • malen • reparieren •
spielen • spielen • surfen

_Ich gehe gern einkaufen._ ....................

....................

**3**  Wörter hören und nachsprechen. Hören Sie zu und sprechen Sie nach.

56

  **1**  der Tag – die Woche – das Wochenende
  **2**  das Hobby – im Internet surfen – Musik hören – spazieren gehen
  **3**  anfangen – aufhören – ausgehen – fernsehen

Karten spielen

Karaoke singen

basteln

ein Würfelspiel spielen

| | | |
|---|---|---|
| ☐ fernsehen | ☐ Karten spielen | ☐ Musik hören |
| ☐ im Internet surfen | ☐ kochen | ☐ tanzen |
| ☐ basteln | ☐ ausgehen | ☐ Karaoke singen |
| ☐ ein Würfelspiel spielen | ☐ ein Buch lesen | ☐ chillen |

**4**   Sehen Sie die Bilder an und ordnen Sie die Aktivitäten zu.

🔊 **5**   Hören Sie die neuen Wörter und sprechen Sie nach.
57

🔊 **6a**   Welche Aktivitäten hören Sie? Unterstreichen Sie im Kasten auf Seite 64 und 65.
58

🔊 **6b**   Hören Sie noch einmal. Wie findet Herr Vorfelder die Hobbys von seiner Frau?
58   Wie findet Frau Vorfelder die Hobbys von ihrem Mann? Schreiben Sie.

zelten
wandern
kegeln
Musik machen
Volleyball spielen
fotografieren

| | | |
|---|---|---|
| ☐ Volleyball spielen | ☐ joggen | ☐ Freunde treffen |
| ☐ zelten | ☐ wandern | ☐ einen Film sehen |
| ☐ kegeln | ☐ Fußball spielen | ☐ schlafen |
| ☐ fotografieren | ☐ schwimmen gehen | ☐ Musik machen |

**7** Was finden Sie interessant? Was finden Sie langweilig? Was machen Sie (nicht) gerne? Schreiben Sie fünf Sätze.

*Ich treffe gerne …*

*Fotografieren finde ich …*

# Guten Appetit!

**1** Finden Sie zwölf Lebensmittel und ordnen Sie sie zu. Schreiben Sie die Wörter mit Artikel.

| T | O | M | A | T | E | L | B |
|---|---|---|---|---|---|---|---|
| A | L | B | U | T | T | E | R |
| K | U | C | H | E | N | M | O |
| Ä | V | O | S | E | R | I | T |
| S | A | L | A | T | S | M | A |
| E | T | I | W | E | I | N | P |
| K | A | F | F | E | E | H | F |
| O | B | A | N | A | N | E | E |
| A | P | M | I | L | C | H | L |
| J | O | G | H | U | R | T | E |

Getränke:

_der Kaffee_

.................................................

.................................................

Backwaren:

.................................................

.................................................

Obst und Gemüse:

.................................................

.................................................

.................................................

.................................................

Milchprodukte:

.................................................

.................................................

.................................................

.................................................

**2** Was essen und trinken Sie gern / nicht gern? Schreiben Sie sechs Sätze.

☺ _Ich esse gern ..._.................................................   ☹ _Ich esse nicht gern ..._.................................................

☺ .................................................   ☹ .................................................

☺ .................................................   ☹ .................................................

**3a** Wie oft? Ordnen Sie die Wörter.

> manchmal • ~~täglich~~ • selten • nie • oft

_täglich_..................... ..................... ..................... ..................... .....................

**3b** Schreiben Sie sechs Sätze mit den Wörtern aus 3a.

> Tee trinken • Salat essen • aufräumen • einen Ausflug machen • Auto fahren • Deutsch lernen • Musik hören • Fußball spielen • kochen • ...

1 .................................................   4 .................................................

2 .................................................   5 .................................................

3 .................................................   6 .................................................

# A  Der Einkaufszettel

**4**  Was passt? Ordnen Sie zu.

1  Ich habe Durst.         **A**  Dann esst doch eine Banane!
2  Ich gehe einkaufen.     **B**  Dann bringt doch Schokolade mit!
3  Ich habe Hunger.       **C**  Dann trinkt doch einen Tee.
4  Wir gehen einkaufen.    **D**  Dann iss doch ein Brot!
5  Wir haben Hunger.      **E**  Dann trink doch Wasser.
6  Wir haben Durst.       **F**  Dann vergiss die Butter nicht!

**5**  Was ist richtig? Kreuzen Sie an und ergänzen Sie dann die Sätze.

1  ............................... doch ein Glas Apfelsaft.  ☐ Trink    ☐ Trinkst du

2  Bitte ............................... die Milch nicht.  ☐ vergesst    ☐ vergessen

3  ............................... doch mit nach Berlin.  ☐ Fährst du    ☐ Fahr

4  ............................... bitte mit.  ☐ Kommen    ☐ Kommen Sie

5  ............................... doch noch hier.  ☐ Bleibt    ☐ Bleiben

6  ............................... Sie bitte einen Moment.  ☐ Warte    ☐ Warten

**6**  Ergänzen Sie den Imperativ.

| du | ............... bitte Brot! (holen) | ............... das Buch nicht! (vergessen) | ............... doch einen Salat! (nehmen) |
|---|---|---|---|
| ihr | ............... gut! (schlafen) | ............... den Lehrer! (fragen) | ............... den Text! (lesen) |
| Sie | ............... bitte Reis! (kaufen) | ............... bitte langsam! (sprechen) | ............... am Vormittag! (kommen) |

**7**  Sammeln Sie Verben aus den Lektionen 1 bis 5. Machen Sie eine Tabelle im Heft und bilden Sie Imperativ-Sätze wie im Beispiel.

| Infinitiv | du! | ihr! | Sie! | Satz |
|---|---|---|---|---|
| kaufen | Kauf! | Kauft! | Kaufen Sie! | Kauf bitte ein Brot! |
| essen | Iss! | Esst! | Essen Sie! | Esst jetzt bitte! |
| anfangen | Fang an! | ... | | |

**8** Vorschläge für das Wochenende. Schreiben Sie die Sätze im Imperativ in der *Sie*-Form.

**1** spazieren gehen     *Gehen Sie doch spazieren!*

**2** ein Buch lesen

**3** nach Berlin fahren

**4** das Straßenfest besuchen

**9** Lebensmittel und Verpackungen. Ordnen Sie die Lebensmittel zu.

eine Flasche     ein Becher

ein Stück     eine Dose

eine Packung     ein Glas

**10** Was kauft Herr Tolic? Schreiben Sie.

*Herr Tolic kauft eine Flasche*
*Apfelsaft, zwei Brötchen, ...*

**11** Was ist hier falsch? Lesen Sie den Dialog und korrigieren Sie.

- Ja, bitte?

- Gern. Noch etwas?

- Ja, hier bitte.

                      *Gramm*
- 200 ~~Pfund~~ Wurst und ein Glas Käse, bitte.

- Ja, eine Tafel Spaghetti und drei Tüten Joghurt.

- Und eine Packung Wasser bitte.

## B Einkaufen

**12** Was kaufen Sie wo? Schreiben Sie Sätze.

> Obst und Gemüse •
> Zeitungen • Brot • Wurst •
> Schokolade • Milch

im Supermarkt

an der Tankstelle

> *Ich kaufe Brot im Supermarkt und in der Bäckerei.*

in der Bäckerei

auf dem Markt

**13** Wer sagt was? Ordnen Sie zu.

> Danke, das ist alles. • Dann nehme ich zwei Kilo Birnen. • Das Kilo kostet 90 Cent. •
> Das macht zusammen 6,90 Euro. • Ein Kilo Tomaten, bitte. • Guten Tag, was
> möchten Sie? • Haben Sie es passend? • Haben Sie noch einen Wunsch? •
> Ich hätte gerne 3 Kilo Kartoffeln. • Möchten Sie noch etwas? •
> Nein, leider nicht. Ich habe nur 20 Euro. • Was kosten die Tomaten?

| Verkäufer / Verkäuferin | Kunde / Kundin |
|---|---|
|  |  |
|  |  |
|  |  |
|  |  |
|  |  |

**14** Lesen Sie die Antworten und schreiben Sie Fragen.

**1** ........................................................... Ich hätte gern ein Weißbrot.

**2** ........................................................... Die Birnen kosten 2,49 €.

**3** ........................................................... Ja, noch zwei Pfund Tomaten, bitte.

**15** Das Verb *möchten*. Ergänzen Sie die richtigen Endungen.

**1** • Was möcht....... Sie?   • Ich möcht....... einen Tee und meine

   Tochter möcht....... einen Apfelsaft.

**2** • Möcht....... du Kaffee?   • Nein danke. Ich möcht....... ein Glas Milch.

**3** • Möchte....... ihr Wein oder Bier?   • Danke, wir möcht....... Bier.

**◀)) 16** Hören Sie und korrigieren Sie die Preise.
59

| **1** | **2** | **3** | **4** |
| 0,79 € | 3,79 € | 0,95 € | 1,14 € |

........................... ........................... ........................... ...........................

**◀)) 17** Einkaufsdialoge. Ordnen und schreiben Sie zwei Dialoge. Kontrollieren Sie dann mit der
60 CD.

> Fünf Brötchen, bitte. • Ja, noch ein Bauernbrot, bitte. • ~~Ja, bitte?~~ •
> Was kosten die Birnen? • Dann nehme ich zwei Kilo Birnen und ein Pfund Tomaten •
> Haben Sie noch einen Wunsch? • ~~Guten Tag, was möchten Sie?~~ •
> Fünf Brötchen, ein Bauerbrot. Ist das alles? • Ein Kilo kostet 2,50 € • Ja, das ist alles.

**Dialog 1**                          **Dialog 2**

• *Guten Tag, was möchten Sie?* ..........   • *Ja, bitte?* ...............................

• *Fünf* ...........................................   • ...............................................

• ...............................................   • ...............................................

• ...............................................   • ...............................................

• ...............................................

• ...............................................

**◀)) 18** Textkaraoke. Hören, lesen und sprechen Sie die 👄-Rolle im Dialog.
61

    🎧   …

    👄   300 g Hackfleisch, bitte.

    🎧   …

    👄   Ja, ich nehme auch 5 Scheiben Schinken.

    🎧   …

    👄   Ja, vielen Dank.

    🎧   …

    👄   Nein, leider nicht. Ich habe nur 10 Euro.

    🎧   …

## C  Das mag ich

**19**  Was mögen die Personen? Schreiben Sie Sätze wie im Beispiel.

Simon: Schokolade · Patricia: Cola · Ewa und Anna: Chips · Sebastian: Käsekuchen

1  *Simon mag Schokolade.*

3  _____

2  _____

4  _____

**20a**  Das Verb *mögen*. Ergänzen Sie die Tabelle.

|  | mögen |  | mögen |
|---|---|---|---|
| ich |  | wir |  |
| du |  | ihr |  |
| er/es/sie |  | sie/Sie |  |

**20b**  Magst du ... ? Ergänzen Sie die Sätze.

1  ● *Magst* du Fisch?  ● Ja, ich _____ Fisch.

2  ● _____ ihr Spaghetti?  ● Ja, wir _____ Spaghetti.

3  Viele Kinder _____ Schokolade, aber mein Sohn _____ keine Schokolade.

**21**  Kreuzen Sie an: *kein*, *keine*, *keinen* oder *nicht*.

1  Ich esse ... gern Käse.
A ☐ nicht
B ☐ keinen

2  Sie mag ... Äpfel
A ☐ nicht
B ☐ keine

3  Sie isst ... Butter.
A ☐ keine
B ☐ nicht

4  Trinkst du ... Wein?
A ☐ keinen
B ☐ nicht

5  Er isst ... Brot.
A ☐ nicht
B ☐ kein

6  Sie essen ... gern Orangen.
A ☐ keine
B ☐ nicht

**22**  Schreiben Sie Antworten mit *nicht* oder *kein*.

1  ● Magst du Kaffee?  ● *Nein,* _____

2  ● Siehst du gern fern?  ● *Nein,* _____

3  ● Isst du gern Chips?  ● *Nein,* _____

4  ● Mögen Sie Bier?  ● *Nein,* _____

# D  Essen in Deutschland

**23a** Was essen Herr Fechner (F), Frau Mertens (M) und Robert (R)? Hören Sie und tragen Sie ein: F, M oder R.

**23b** Wer isst was? Schreiben Sie Sätze wie Beispiel.

1  *Herr Fechner isst zum Frühstück ...*

   *Er trinkt* ......................................................................................................................

2  *Frau Mertens* .................................................................................................................

3  *Robert* ..........................................................................................................................

   ........................................................................................................................................

**24** Frühstück – Mittagessen – Abendessen. Was essen und trinken Sie? Schreiben Sie.

Frühstück:  *Zum Frühstück esse ich ...* .................................................................

Mittagessen:  ...............................................................................................................

Abendessen:  ...............................................................................................................

**25a** Schreibtraining: *ie* und *ei*. Hören Sie und lesen Sie mit.

Sind Sie verheiratet?  Wie ist Ihre Lieblingsfarbe?
Wie schreibt man „Freitag"?  Bleiben Sie lange hier?

>
> **ie und ei**
> ie – Man spricht ein langes *i*.
>    Das *e* spricht man nicht.
> ei – Man spricht *ai*.

**25b** Hören Sie und ergänzen Sie *ie* oder *ei*.

- Gehen S......... ......nkaufen? Dann bringen S...... doch bitte ......n ......s und ......ne Z......tung mit.

- N......n, l......der habe ich k......ne Z......t. Heute ist D......nstag, ich gehe Fußball sp......len.

**26a** Ein Rezept. Welche Lebensmittel braucht man? Ordnen Sie zu.

### Pfannkuchen mit Zimt und Zucker

☐ 4 Eier

☐ 150g Mehl

☐ Salz

☐ ¼ Liter Milch

☐ 2 Teelöffel Butter und Butter für die Bratpfanne

☐ 4 Esslöffel Zucker

☐ etwas Zimt

**26b** Wie macht man Pfannkuchen? Ordnen Sie die Arbeitsschritte zu.

A ☐   B ☐   C ☐

D ☐   E ☐   F ☐

**1** Das Mehl, die Eier, die Milch und das Salz in eine Schüssel geben und alles mischen. • **2** Den Pfannkuchen wenden und ihn noch einmal 1 bis 2 Minuten braten. • **3** Die Butter in der Bratpfanne erhitzen. • **4** Den Pfannkuchen mit Zimt und Zucker servieren. • **5** Zimt und Zucker mischen. • **6** Etwas Teig in die Pfanne geben und ihn 2 bis 3 Minuten braten.

**26c** Machen Sie Pfannkuchen! Schreiben Sie die Sätze aus 26b im Imperativ.

A *Geben Sie das Mehl, die Eier, die Milch und das Salz in eine Schüssel und ...*

B ......................................................................................................................................

C ......................................................................................................................................

D ......................................................................................................................................

E ......................................................................................................................................

F ......................................................................................................................................

Guten Appetit .....................................

der Apfel, "- .....................................

die Banane, -n .....................................

das Brot, -e .....................................

die Butter, Sg. .....................................

das Hähnchen, - .....................................

die Kartoffel, -n .....................................

der Käse, Sg. .....................................

die Milch, Sg. .....................................

die Nudeln, Pl. .....................................

der Reis, Sg. .....................................

der Salat, -e .....................................

der Tee, Sg. .....................................

der Fisch, -e .....................................

die Tomate, -n .....................................

das Wasser, Sg. .....................................

der Wein, -e .....................................

die Wurst, "-e .....................................

essen .....................................

trinken .....................................

täglich .....................................

oft .....................................

manchmal .....................................

selten .....................................

nie .....................................

## A Der Einkaufszettel

das Ei, -er .....................................

der Zucker, Sg. .....................................

die Orange, -n .....................................

die Spaghetti, Pl. .....................................

das Brötchen, - .....................................

das Getränk, -e .....................................

das Bier, -e .....................................

der Apfelsaft, "-e .....................................

bitte .....................................

doch .....................................

vergessen .....................................

holen .....................................

warten .....................................

der Hunger, Sg. .....................................

Ich habe Hunger. .....................................

der Durst, Sg. .....................................

Ich habe Durst. .....................................

probieren .....................................

die Packung, -en .....................................

die Dose, -n .....................................

das Glas, "-er .....................................

der Becher, - .....................................

die Tüte, -n .....................................

der Kasten, "- .....................................

das Stück, Sg. .....................................

die Tafel Schokolade .....................................

die Scheibe, -n .....................................

das Gramm, Sg. .....................................

das Kilo/Kilogramm, Sg. .....................................

das Pfund, Sg. .....................................

der Liter, Sg. .....................................

## B Einkaufen

das <u>O</u>bst, Sg. ......................

das Gem<u>ü</u>se, Sg. ......................

der K<u>u</u>nde, -n ......................

die K<u>u</u>ndin, -nen ......................

der Pr<u>ei</u>s, -e ......................

der M<u>a</u>rkt, "-e ......................

die Metzger<u>ei</u>, en ......................

die B<u>ä</u>ckerei, -en ......................

Ich hätte gern … ......................

Haben Sie noch
einen Wunsch? ......................

p<u>a</u>ssend ......................

bek<u>o</u>mmen ......................

zur<u>ü</u>ck ......................

m<u>ö</u>chten ......................

## C Das mag ich

m<u>ö</u>gen ......................

## D Essen in Deutschland

das Fr<u>ü</u>hstück ......................

das M<u>i</u>ttagessen ......................

das <u>A</u>bendessen ......................

fr<u>ü</u>hstücken ......................

......................

......................

......................

**1** Welches Wort passt nicht? Streichen Sie.

1 Frühstück – Abendessen – Vormittag – Mittagessen
2 Tomate – Butter – Käse – Milch
3 Apfel – Orange – Banane – Wurst
4 Hähnchen – Fisch – Schinken – Salami
5 Tee – Fleisch – Wein – Wasser

**Lerntipp**
Lernen Sie neue Wörter in Gruppen.
Sammeln Sie Wörter zu einem
Thema, z. B. *Obst, Gemüse,
Getränke, Verpackungen* usw.
Schreiben Sie die Wörter in Gruppen
in Ihr Vokabelheft.

**2** Einkaufsgespräche. Notieren Sie wichtige Sätze auf Karten.

<u>Verkäufer/Verkäuferin:</u>
<u>Guten Tag,</u>
<u>was möchten Sie?</u>

<u>Kunde/Kundin:</u>
<u>Ich hätte gern …</u>

**3** 🔊 65 Wörter hören und nachsprechen. Hören Sie zu und sprechen Sie nach.

1 das Obst – die Banane – der Apfel
2 das Gemüse – die Tomate – der Salat
3 die Bäckerei – das Brot – das Brötchen – der Kuchen

**1** ........................

**2** ........................

**3** ........................

**4** der **Blumenkohl**, Sg.

**9** ........................

**10** die **Erdbeere**, -n

**11** ........................

**12** ........................

**17** die **Margarine**, Sg.

**18** ........................

**19** das **Mehl**, Sg.

**20** ........................

**25** ........................

**26** das **Salz**, Sg.

**27** ........................

**28** ........................

**4** Ergänzen Sie die Wörter mit Artikel und Plural. Manchmal gibt es keinen Plural.

🔊 **5** Hören Sie die neuen Wörter und sprechen Sie nach.
66

🔊 **6a** Hören Sie die Dialoge. Was mögen die Leute, was mögen sie nicht? Ergänzen Sie.
67

Ewa findet ........................................................................ furchtbar.

Erik mag ........................................................................ .

Maria trinkt keinen ........................................................................ .

| | | | |
|---|---|---|---|
| **5** | **6** | **7** | **8** |
| die Bohne, -n | | | |
| **13** | **14** | **15** | **16** |
| | der Keks, -e | der Lauch, Sg. | |
| **21** | **22** | **23** | **24** |
| | die Nuss, "-e | das Öl, Sg. | der Pfeffer, Sg. |
| **29** | **30** | **31** | **32** |

**6b** Was passt zusammen? Erfinden Sie weitere Kombinationen.

*Brot mit Wurst und Käse.*

**6c** Fragen Sie Ihren Partner/Ihre Partnerin.

Isst du gern ...?

Das passt sehr gut zusammen.

Das schmeckt super.

Das finde ich schrecklich.

# Arbeit und Beruf

**1** **Berufe. Ordnen Sie zu.**
1  der Ingenieur
2  die Bankkauffrau
3  der Programmierer
4  der Kfz-Mechaniker
5  die Kellnerin

**2** **Wer arbeitet wo? Ergänzen Sie.**

1  *Der Programmierer arbeitet* .......... im Büro.

2  ............................................. im Restaurant.

3  ............................................. in der Werkstatt.

4  ............................................. auf der Baustelle.

5  ............................................. in der Bank.

# A  Das muss ich machen

**3** **Wer macht was? Ergänzen Sie die Sätze.**

> Kaffee und Kuchen bringen • Anmeldungen annehmen • ~~Operationen vorbereiten~~ •
> Autos reparieren • die Post bringen

1  Der Krankenpfleger *bereitet Operationen vor.* ..........

2  Die Sekretärin ............................ ............................

3  Der Kfz-Mechaniker ....................................................

4  Die Briefträgerin ....................................................

5  Die Kellnerin ....................................................

**4** **Chaos bei den Verben. Im Text sind sechs Fehler. Korrigieren Sie den Text.**

>                   *arbeitet*
> Martina Wagner ~~bleibt~~ bei der Volksbank. Sie kontrolliert die Kunden und
>
> berät die Kasse. Sie muss auch Geld helfen und bei Problemen
>
> mit Überweisungen arbeiten. Oft muss sie auch länger wechseln.

**5**  Die Modalverben *können, müssen* und *wollen*. Ergänzen Sie die Tabelle.

| | können | müssen | wollen |
|---|---|---|---|
| ich | | | |
| du | | | |
| er/es/sie/man | | | |
| wir | | | |
| ihr | | | |
| sie/Sie | | | |

**6**  Im Deutschkurs. Ergänzen Sie das Verb *können*.

**1** ........................................ Sie bitte das Wort buchstabieren?

**2** ........................................ du bitte langsam sprechen? Wir ........................................ dich nicht verstehen.

**3** • Tim ........................................ schon sehr gut Deutsch sprechen.

   • Ja, und er ........................................ auch Französisch.

**4** ........................................ ihr das bitte an die Tafel schreiben?

**5** • Und die Hausaufgabe bis morgen ist …

   • Ich ........................................ heute keine Hausaufgaben machen. Ich muss arbeiten.

**7**  Was müssen die Personen machen? Ergänzen Sie das Verb *müssen*.

**1** Er arbeitet als Reinigungskraft. Er ........................................ im Schichtdienst arbeiten.

**2** Sie sind Studenten. Sie ........................................ viel lernen.

**3** Sie ist Bankkauffrau. Sie ........................................ Formulare bearbeiten.

**4** Sergej und ich sind Taxifahrer. Wir ........................................ viel Auto fahren.

**8**  Was wollen wir heute machen? Schreiben Sie Sätze mit dem Verb *wollen*.

**1** ich – heute – fernsehen          *Ich will* .................................................................

**2** wir – Fußball – heute – spielen     .................................................................

**3** Monika – zu Hause – Musik hören   .................................................................

**4** ihr – ins Kino – gehen?        .................................................................

**5** du – einen Tanzkurs – machen?   .................................................................

**6** Sie – etwas – trinken?        .................................................................

**9** *Wollen* oder *müssen*? Ergänzen Sie die Verben.

**1**

................................ Sie Kaffee
und Kuchen haben?

Nein danke, jetzt nicht. Ich
................................ zum Chef gehen.

**2**

Warum ................................
du schon gehen?

Ich ................................ noch meine Wohnung
aufräumen. Morgen ................................ meine
Eltern kommen.

**3**

Du ................................ jetzt
Hausaufgaben machen.

Aber ich ................................ spielen.

**4**

................................ Sie morgen
früh aufstehen?

Ja, um sieben. Ich ................................ vor
der Arbeit noch zur Bank gehen.

**10** *Können* oder *müssen*? Schreiben Sie Sätze.

**1** Frau Schumann ist Briefträgerin. (früh aufstehen / schon am Mittag nach Hause gehen)

  *Sie muss früh aufstehen, aber sie kann ....*........................................................

**2** Herr Groß ist Kellner. (auch in der Nacht arbeiten / am Vormittag lange schlafen)

  ........................................................................................................

**3** Herr Umlandt ist Deutschlehrer. (viel erklären / auch viel von den Schülern lernen)

  ........................................................................................................

**4** Frau Disdorn ist Sekretärin. (viel im Büro sitzen / bei der Arbeit Kaffee trinken)

  ........................................................................................................

**5** Herr Lehmann ist Buchhalter. (heute bis 22 Uhr arbeiten / morgen schon um 15 Uhr
nach Hause gehen.

  ........................................................................................................

**11** *Müssen, können* oder *wollen*? Ergänzen Sie und kontrollieren Sie dann mit der CD.
*68*

1 • ............................... ich bitte ein Eis haben?

• Ja, aber zuerst ............................... du dein Zimmer aufräumen.

2 • ............................... du einen Kaffee?

• Ja, ............................... ich bitte auch Milch haben?

• Hier. ............................... du auch Zucker?

• Nein danke.

3 • ............................... Sie Italienisch sprechen?

• Nein, aber ich ............................... einen Sprachkurs machen. Und Sie?
............................... Sie Italienisch?

• Ein bisschen, ich ............................... noch viel lernen.

**12** Was passt? Ordnen Sie zu.

1 Ich will viel Geld     A reisen.
2 Ich will Karriere     B machen.
3 Ich will oft     C arbeiten.
4 Ich will im Team     D verdienen.

Geld     Karriere

**13a** Welche Berufe haben die Leute? Hören Sie und schreiben Sie.
*69*

1 Zladka Radoyska     2 Per Kujat     3 Franka Stein

......................................   ......................................   ......................................

**13b** Hören Sie noch einmal und kreuzen Sie an: Richtig oder falsch?
*69*

|  | R | F |
|---|---|---|
| 1 Zladka Radoyska muss um 19 Uhr im Restaurant sein. | ☐ | ☐ |
| 2 Sie arbeitet auch am Wochenende. | ☐ | ☐ |
| 3 Per Kujat verdient gut. | ☐ | ☐ |
| 4 Seine Arbeit ist ruhig. | ☐ | ☐ |
| 5 Franka Stein arbeitet gern draußen. | ☐ | ☐ |
| 6 Franka Stein kann manchmal nicht alles lesen. | ☐ | ☐ |

**14** Schreiben Sie die Sätze mit *nicht*.

1 Sie will mit den Händen arbeiten.    *Sie will nicht mit den Händen arbeiten.*

2 Wir können am Vormittag arbeiten.    ......................................

3 Ich will alleine arbeiten.    ......................................

4 Er muss viel reisen.    ......................................

5 Sie muss früh aufstehen.    ......................................

**15** Was müssen, können, wollen Sie bei Ihrer Arbeit machen? Schreiben Sie drei Sätze.

...................................................................................................................................................

...................................................................................................................................................

...................................................................................................................................................

# B   Rund ums Geld

**16** Bei der Bank. Lesen Sie die Sätze und ergänzen Sie die Wörter.

1  Ich will Geld an den Fußballverein _b_rw_ _sen, aber ich habe keine B_nkv_rb_ndung.

2  Herr Beeger möchte seinen Mitgliedsb_ _tr_g bezahlen.

3  Ich habe bei der Bank ein K_nt_. Meine K_nt_n_mm_r ist 2540004.

4  Der G_ld_ _t_m_t ist kaputt.

5  Was sind die G_b_hr_n für den Abendkurs?

**17a** Bei Familie Kuhn. Hören Sie den Dialog und kreuzen Sie an: Richtig oder falsch?
70

|  |  | R | F |
|---|---|---|---|
| 1 | Stephanie geht einkaufen. | ☐ | ☐ |
| 2 | Thomas will Geld überweisen. | ☐ | ☐ |
| 3 | Die KITA hat bei der Regiobank in Potsdam ein Konto. | ☐ | ☐ |
| 4 | Thomas hat kein Überweisungsformular. | ☐ | ☐ |

**17b** Hören Sie den Dialog weiter. Ergänzen Sie das Überweisungsformular.
71

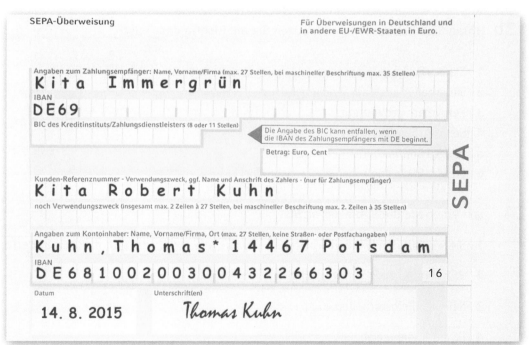

# C Ein Tag im Leben von Maria Stein

**18** Was macht Frau Müller? Ordnen Sie die Sätze zu.

> Sie ist beim Friseur. • Sie geht zur Arbeit. • Sie kommt zurück nach Hause. •
> Sie geht zum Friseur. • Sie ist bei der Arbeit. • Sie ist zu Hause.

..............................  ..............................  ..............................

..............................  ..............................  ..............................

🔊 72

**19** Welche Präposition passt? Ergänzen Sie und kontrollieren Sie dann mit der CD.

> aus • bei • zu • zum • mit • nach • vom • vor

**Der Samstag** .............1 **Familie Kern.**

Frau Kern räumt .............2 den Kindern das Wohnzimmer auf. Herr Kern geht

.............3 Supermarkt und kauft ein. Um elf Uhr kommt Herr Kern .............4 Super-

markt zurück. .............5 dem Mittagessen kochen Herr und Frau Kern zusammen.

Am Nachmittag, .............6 dem Mittagessen schlafen Herr und Frau Kern eine Stunde.

Dann gehen sie .............7 Freunden. Die Freunde kommen .............8 der Türkei. Um 20

Uhr gehen sie wieder nach Hause.

**20** Ergänzen Sie den bestimmten und unbestimmten Artikel im Dativ.

**1** mit _dem_ / mit _einem_ Mann

**2** mit ............. / mit ............. Frau

**3** mit ............. Kind / mit ............. Kind.

**4** mit ............. / mit ..–.... Menschen

**21**   Lesen Sie die Dialoge und ergänzen Sie die Artikel im Dativ.

1 • Was machst du nach d........ Schule?   • Ich fahre zu ein........ Freund.

2 • Und vor d........ Schule?   • Ich mach meine Hausaufgaben.

3 • Ich bin von d........ Arbeit zurück, aber ich habe noch einen Termin mit ein........ Kollegen.

4 • Warst du schon bei........ Arzt?   • Nein, ich gehe nach d........ Mittagessen.

**22**   Wo? Woher? Wohin? Schreiben Sie Antworten.

Wo ist Susanne?                  Wohin geht Mika?               Wo sind die Kinder?

*Beim Chef.*
....................................       ....................................       ....................................
(der Chef)                       (die Großeltern)               (die Freunde)

Woher kommt Florin?              Wohin geht Sabrina?            Woher kommt Oleksander?

....................................       ....................................       ....................................
(das Reisebüro)                  eine Freundin                  (ein Freund)

**23**   Ergänzen Sie *Wo* oder *Wohin*.

1 • ...................... waren Sie gestern?   • In Berlin.

2 • Und ...................... fahren Sie jetzt?   • Nach Italien.

3 • ...................... bist du und ...................... gehst du?   • Zu Hause und später gehe ich ins Kino.

**24**   Schreibtraining. Schreiben Sie die Sätze richtig.

Fehler +++ Fehler +++ Fehler

1   siewollendiewohnungaufräumenunddannzummarktgehen

....................................................................................................................

2   erkannenglischsprechenundjetztwillerspanischlernen

....................................................................................................................

3   eristingenieurvonberufabererarbeitetjetztalsbriefträger

....................................................................................................................

**25a** Beruf: Programmiererin. Sortieren Sie die Textteile.

A [1] Ilona Busch ist Programmiererin. Sie arbeitet bei einer

B ☐ bis spät abends arbeiten. Sie schreibt

C ☐ Computerprogramme. Die Firma hat viele

D ☐ Computerfirma. Sie beginnt morgens um neun Uhr. Sie muss oft

E ☐ Kunden und Ilona Busch hat oft viel Stress.

**25b** Beruf: Taxifahrer. Schreiben Sie mit den Stichwörtern einen Text.

> Martin Rösch • Taxifahrer • in Duisburg wohnen und arbeiten •
> in der Nacht und am Wochenende arbeiten • in der Nacht gern fahren

.......................................................................................................................................

.......................................................................................................................................

.......................................................................................................................................

**26a** Lesen Sie die Stellenanzeigen und ordnen Sie die Berufe zu.

> Taxifahrer • Sekretärin • Programmiererin • Programmierer • Arzt • Ärztin

### Stellenmarkt

**1** Wir suchen einen ................................... /

eine .................................. .
Arbeitszeit: Montag, Mittwoch, Donnerstag
8.00-12.30 Uhr
Kinderarztpraxis Mathiopoulos
Bismarckstraße 76, 37085 Göttingen
Tel.: 0551 / 67788

**2** Gesucht: .................................. (m/w)
für Nacht- und Wochenendfahrten.
Reisedienst Schmidt.
Gartenstraße 12 79312 Emmendingen
Tel.: 07641 / 155 355

**3** ABC-Software sucht

eine .................................. /

einen ..................................
Sie schreiben Computerprogramme,
reparieren Computer und beraten Kunden.
Vollzeit, flexible Arbeitszeiten, Bewerbungen
per E-Mail an: s.krebs@abc-software.de

**4** Telefonieren Sie gern? Arbeiten Sie gern mit
dem Computer? Wir suchen eine

.................................. (m/w).
Sie arbeiten von Montag bis Freitag
vormittags oder nachmittags.
Bankhaus Jonas – Hauptstraße 43
26721 Emden • Tel.: 04921 51 32 0
info@bankhaus-jonas.de

**26b** Lesen Sie die Stellenanzeigen noch einmal und machen Sie Notizen in Ihrem Heft.

*Anzeige 1:*
*Beruf ...*
*Firma ...*
*Adresse ...*
*Telefon/E-Mail ...*
*Arbeitszeit ...*

*Anzeige 2:*
*...*

*Anzeige 3:*
*...*

*Anzeige 4:*
*...*

der Bankkaufmann,
die Bankkauffrau,
Pl: Bankkaufleute .............................

der/die Altenpfleger/in,
-/-nen .............................

der/die Kellner/in,
-/-nen .............................

der/die Kfz-Mechaniker/
in,-/-nen .............................

die Reinigungskraft, "-e .............................

der/die Taxifahrer/in,
-/-nen .............................

der/die Briefträger/in,
-/-nen .............................

der Koch, "-e .............................

die Köchin, -nen .............................

die Baustelle, -n .............................

die Werkstatt, "-en .............................

die Bank, -en .............................

das Restaurant, -s .............................

das Büro, -s .............................

## A Das muss ich machen

der/die Kranken-
pfleger/in, -/-nen .............................

die Krankenschwester, -n .............................

der Schichtdienst, -e .............................

das Krankenhaus, "-er .............................

müssen .............................

können .............................

wollen .............................

das Geld, Sg. .............................

verdienen .............................

wechseln .............................

beraten .............................

helfen .............................

die Überweisung, -en .............................

kontrollieren .............................

die Kasse, -n .............................

das Formular, -e .............................

unterschreiben .............................

der/die Sekretär/in,
-e/-nen .............................

die Arbeitszeit, -en .............................

anstrengend .............................

das Team, -s .............................

allein, alleine .............................

reisen .............................

die Karriere, Sg. .............................

draußen .............................

drinnen .............................

## B Rund ums Geld

der Geldautomat, -en .............................

die EC-Karte, -n .............................

die Kontonummer, -n .............................

der Kontoauszug, "-e .............................

die IBAN .............................

die Gebühr, -en .............................

überweisen .............................

die Bankverbindung, -en .............................

## C Ein Tag im Leben von Maria Stein

aus ......................................

bei ......................................

nach ......................................

von ......................................

zu ......................................

bedienen ......................................

die Mittagspause, -n ......................................

der Kollege, -n ......................................

die Kollegin,-nen ......................................

der Termin, -e ......................................

der/die Chef/in, -s/-nen ......................................

der Kindergarten, "- ......................................

die Haltestelle, -n ......................................

......................................

**1** Mit der Wortliste arbeiten. Nomen maskulin, feminin, Plural. Schreiben Sie wie im Beispiel.

1 der/die Chef/in, -s/-nen   *der Chef, die Chefin, die Chefs, die Chefinnen*

2 der/die Taxifahrer/in, -/-nen   ..................................

3 die Reinigungskraft, die "-e   ..................................

**2** Sammeln Sie Wörter zum Thema Arbeit.

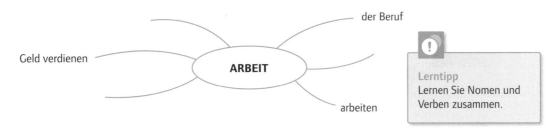

Geld verdienen

**ARBEIT**

der Beruf

arbeiten

> **!** **Lerntipp**
> Lernen Sie Nomen und Verben zusammen.

**3** Was passt? Ordnen Sie zu.

> verdienen • wechseln • beraten • überweisen • bedienen • unterschreiben

1 Kunden   ..................................

2 Geld   ..................................

3 ein Formular   ..................................

**4** Wörter hören und nachsprechen. Hören Sie zu und sprechen Sie nach.

73

1 der Krankenpfleger – die Reinigungskraft – die Köchin
2 die IBAN – die Kontonummer – die Bankverbindung
3 Geld überweisen – Geld wechseln – Geld verdienen

der Gärtner

die Hotelfachfrau

**5** Ergänzen Sie die Wörter mit Artikel.

**6** Hören Sie die Wörter und sprechen Sie nach.
74

**7a** Wer arbeitet wo? Ordnen Sie die Berufe den Orten auf Seite 89 zu.

**7b** Schreiben Sie Sätze wie im Beispiel und kontrollieren Sie dann mit der CD.
75

> *Die Verkäuferin arbeitet im Kaufhaus.*
> *Der Gärtner ...*

**7c** Hören Sie noch einmal und sprechen Sie nach.
75

im Friseursalon

im Hotel

im Krankenhaus

im Kaufhaus

in der Schule

in der Gärtnerei

im Altersheim

im Büro

in der Werkstatt

## 8a Wer macht was? Schreiben Sie Sätze.

~~Patienten behandeln~~ • Kunden bedienen • Möbel machen •
Termine planen • Gärten pflegen • Zimmer reservieren •
alte Menschen betreuen • Haare schneiden • Schüler unterrichten

**1** Ein Arzt *behandelt Patienten.*

**2** Eine Lehrerin

**3** Ein Verkäufer

**4** Ein Friseur

**5** Eine Hotelfachfrau

**6** Ein Altenpfleger

**7** Ein Gärtner

**8** Eine Sekretärin

**9** Ein Tischler

## 8b Hören Sie, kontrollieren Sie dann mit der CD und sprechen Sie nach.
76

**1**  Lesen Sie und ergänzen Sie in A–I.

✓  ✗  ## Ich kann auf Deutsch

☐  ☐  **A**  über Hobbys sprechen.

> spiele • gerne • Hobby • findest • jogge • höre • spiele

- Was ist dein ............................?

- Ich ........................... gerne Schach. Und du?

- Ich ........................... gerne und ........................... gerne Musik.

- Wie ........................... du Fußball?

- Ich ........................... nicht gerne Fußball, aber ich sehe ........................... Fußball.

☐  ☐  **B**  Zeitangaben verstehen.

.Es ist ..........................................................

..........................................................

..........................................................

☐  ☐  **C**  Termine machen und mich verabreden.

- Wann gehen wir ins Kino?

- ........................... Freitag oder ........................... Samstag.

- ........................... Freitag geht es. Und um wie viel ...........................?

- Um sechs ...........................

- Geht es auch ........................... halb neun?

- Ja, das geht auch. Dann ........................... Freitag.

☐  ☐  **D**  sagen, was ich jeden Tag mache.

> treffe • fängt ... an • gehen • machst • Vormittag

- Was ........................... du morgen?

- Am ........................... habe ich meinen Deutschkurs. Er ........................... um neun Uhr ...........................

- Und am Nachmittag?

- Da ........................... ich meine Freunde. Wir ........................... essen.

**E**  **sagen, was ich gerne esse und trinke.**

Was essen Sie gerne? .......................................................................

Was trinken Sie gerne? ....................................................................

Was essen und trinken Sie nicht so gerne? ..............................

..............................................................................................................

**F**  **Einkaufsdialoge führen.**

- Guten Tag, ich ............................... ein Kilo Tomaten.
- Darf es noch etwas sein?

- Wie viel ............................... die Äpfel?
- 2,90 Euro das Kilo.

- Dann ............................... ich sechs Stück.

**G**  **über meine Arbeit sprechen.**

Ich bin ............................... von Beruf und arbeite bei ............................... Ich finde meine Arbeit

.............................. Ich arbeite von ............................... Uhr bis ............................... Uhr.

**H**  **sagen, was ich im Beruf oder bei der Arbeit (nicht) kann oder (nicht) will.**

> im Team arbeiten • Karriere machen • am Wochenende arbeiten •
> am Computer arbeiten • …

Ich kann .......................................................................................................

Ich kann nicht ...........................................................................................

Ich will .........................................................................................................

Ich will nicht ..............................................................................................

**I**  **sagen, wo ich bin und wohin ich gehe.**

- Woher kommst du?

- ............................... Friseur. Und du, wo warst du?

- Ich war ............................... Arzt. Ich muss jetzt noch ............................... Bank gehen und Geld holen.

**2**  **Kontrollieren Sie mit den Lösungen und markieren Sie ✓ für *kann ich* und ✗ für *kann ich nicht so gut*.**

# Grammatik im Überblick

**1 Verben**

Regelmäßige Verben

Verben mit Vokalwechsel: *e → i, a → ä*

Unregelmäßige Verben

Trennbare Verben

Modalverben

Der Imperativ

Das Präteritum (Vergangenheit) von *sein* und *haben*

Verben mit Nominativ und Akkusativ

**2 Artikel-Nomen-Pronomen**

Die Artikel

Die Possessivartikel

Nominativ, Akkusativ und Dativ

Der Plural von Nomen

Artikel und Pronomen

Das unpersönliche Pronomen *man*

**3 Präpositionen**

Temporale Präpositionen (Zeit): *am, um, bis, von … bis*

Lokale Präpositionen (Ort): *in, nach*

Präpositionen mit Dativ: *aus, bei, mit, nach, seit, von, zu, vor* (temporal)

**4 Die Wörter im Satz**

Sätze und W-Fragen

Ja/Nein-Fragen (Satzfragen)

Satzklammer (trennbare Verben, Modalverben)

Verneinung mit *nicht* oder *kein*

# 1 Verben

## Regelmäßige Verben

| Infinitiv | | kommen |
|---|---|---|
| Singular | ich | komm-e |
| | du | komm-st |
| | er/es/sie/man | komm-t |
| Plural | wir | komm-en |
| | ihr | komm-t |
| | sie | komm-en |
| Höflichkeitsform | Sie | komm-en |

⚠ heißen:  du heißt,  er/sie heißt

⚠ arbeiten:  du arbeitest,  er/sie arbeitet, ihr arbeitet
genauso:  antworten, kosten

## Verben mit Vokalwechsel: e → i, a → ä

| | | e → i | e → ie | a → ä |
|---|---|---|---|---|
| Infinitiv | | sprechen | lesen | schlafen |
| Singular | ich | spreche | lese | schlafe |
| | du | sprichst | liest | schläfst |
| | er/es/sie/man | spricht | liest | schläft |
| Plural | wir | sprechen | lesen | schlafen |
| | ihr | sprecht | lest | schlaft |
| | sie | sprechen | lesen | schlafen |
| Höflichkeitsform | Sie | sprechen | lesen | schlafen |

genauso:   treffen: er/sie trifft    sehen: er/sie sieht
           essen: er/sie isst        schlafen: er/sie schläft
           nehmen: er/sie nimmt      anfangen: es/sie fängt an
           helfen: er/sie hilft

## Unregelmäßige Verben

| Infinitiv | | sein | haben | mögen | (möchten) |
|---|---|---|---|---|---|
| Singular | ich | bin | habe | mag | möchte |
| | du | bist | hast | magst | möchtest |
| | er/es/sie/man | ist | hat | mag | möchte |
| Plural | wir | sind | haben | mögen | möchten |
| | ihr | seid | habt | mögt | möchtet |
| | sie | sind | haben | mögen | möchten |
| Höflichkeitsform | Sie | sind | haben | mögen | möchten |

Woher kommen Sie?

Ich komme aus Deutschland.

Sie spricht sehr gut Deutsch.

## Trennbare Verben

*Der Kurs fängt um 9 Uhr an und hört um 12 Uhr auf.*

*Am Dienstag fällt der Kurs aus.*

| ab ∤ holen | Marines | holt | ein Paket | ab. |
|---|---|---|---|---|
| ein ∤ kaufen | Danach | kauft | sie Obst und Gemüse | ein. |
| auf ∤ stehen | Morgen | steht | sie sehr früh | auf. |

genauso:  anfangen, anrufen, aufräumen, aufhören, ausgehen, ausfallen, fernsehen, mitkommen, mitbringen, stattfinden

## Modalverben

| Infinitiv | | können | wollen | müssen |
|---|---|---|---|---|
| Singular | ich | kann | will | muss |
| | du | kannst | willst | musst |
| | er/es/sie/man | kann | will | muss |
| Plural | wir | können | wollen | müssen |
| | ihr | könnt | wollt | müsst |
| | sie | können | wollen | müssen |
| Höflichkeitsform | Sie | können | wollen | müssen |

| Ich | kann | gut auf Deutsch | lesen. |
|---|---|---|---|
| Wir | müssen | jeden Tag früh | aufstehen. |
| Meine Freundin | will | noch einen Apfelsaft | trinken. |

## Der Imperativ

*Bitte schreiben Sie!*

*Vergiss die Hausaufgaben nicht!*

| | Sie-Form | du-Form | ihr-Form |
|---|---|---|---|
| machen | Machen Sie … | (du mach**st**)  Mach … | Macht … |
| sprechen | Sprechen Sie … | (du sprich**st**)  Sprich … | Sprecht … |
| mitkommen | Kommen Sie (doch) mit! | (du komm**st**)  Komm (doch) mit! | Kommt (doch) mit! |
| ⚠ fahren | Fahren Sie! | (du fährst) Fahr … | Fahrt … |
| ⚠ sein | Seien Sie ruhig! | (du bist) Sei ruhig! | Seid ruhig! |

**Das Präteritum (Vergangenheit) von *sein* und *haben***

*Waren Sie schon einmal in Berlin?*

*Nein, leider noch nicht.*

| Infinitiv | | sein | haben |
|---|---|---|---|
| Singular | ich | war | hatte |
| | du | warst | hattest |
| | er/es/sie/man | war | hatte |
| Plural | wir | waren | hatten |
| | ihr | wart | hattet |
| | sie | waren | hatten |
| Höflichkeitsform | Sie | waren | hatten |

**Verben mit Nominativ und Akkusativ**

Ich    *habe*    einen Sohn.

*Nominativ*    *Akkusativ*

genauso:    brauchen, sehen, nehmen, besichtigen, möchten, kaufen

# 2  Artikel-Nomen-Pronomen

**Die Artikel**

*Da ist ein Mann.*

*Das ist der Mann von Frau Monti.*

| | m (maskulin) | | n (neutrum) | | f (feminin) | | Pl (Plural) | |
|---|---|---|---|---|---|---|---|---|
| bestimmter Artikel | der | | das | | die | | die | |
| unbestimmter Artikel | ein | Mann | ein | Auto | eine | Frau | - | Kinder |
| Negativartikel | kein | | kein | | keine | | keine | |
| Possessivartikel | mein | | mein | | meine | | meine | |

genauso:    dein-, sein-, ihr-, Ihr-

**Die Possessivartikel**

*Guten Tag, mein Name ist Thomas Müller und das ist meine Frau.*

*Sind das Ihre Kinder?*

*Ja, das sind meine Töchter Lisa und Nina und das ist mein Sohn Tobias.*

| | maskulin | | neutrum | | feminin | | Plural | |
|---|---|---|---|---|---|---|---|---|
| ich | mein | | mein | | meine | | meine | |
| du | dein | | dein | | deine | | deine | |
| er | sein | Bruder | sein | Haus | seine | Schwester | seine | Kinder |
| sie | ihr | | ihr | | ihre | | ihre | |
| Sie | Ihr | | Ihr | | Ihre | | Ihre | |

## Nominativ

|  | maskulin |  | neutrum |  | feminin |  | Plural |  |
|---|---|---|---|---|---|---|---|---|
| bestimmter Artikel | der | | das | | die | | die | |
| unbestimmter Artikel | ein | Mann | ein | Auto | eine | Frau | - | Kinder |
| Negativartikel | kein | | kein | | keine | | keine | |
| Possessivartikel | mein | | mein | | meine | | meine | |

*Das sind meine Kinder.*

## Akkusativ

|  | maskulin |  | neutrum |  | feminin |  | Plural |  |
|---|---|---|---|---|---|---|---|---|
| bestimmter Artikel | den | | das | | die | | die | |
| unbestimmter Artikel | einen | Mann | ein | Auto | eine | Frau | - | Kinder |
| Negativartikel | keinen | | kein | | keine | | keine | |
| Possessivartikel | meinen | | mein | | meine | | meine | |

**Lerntipp**
Lernen Sie im Akkusativ nur das -en im Maskulin, alles andere ist wie im Nominativ!

*Ich kenne den Mann nicht.*

*Ich habe keine Kinder.*

## Dativ

|  | maskulin |  | neutrum |  | feminin |  | Plural |  |
|---|---|---|---|---|---|---|---|---|
| bestimmter Artikel | dem | | dem | | der | | den | |
| unbestimmter Artikel | einem | Mann | einem | Auto | einer | Frau | - | Kindern |
| Negativartikel | keinem | | keinem | | keiner | | keinen | |
| Possessivartikel | meinem | | meinem | | meiner | | meinen | |

Das Nomen hat im Dativ Plural immer die Endung -n.
Wie spielen mit den Kindern.
⚠ Ausnahme: Nomen mit s-Plural: die Autos - mit den Autos.

**Der Plural von Nomen**

|  | Singular | Plural |  | Singular | Plural |
|---|---|---|---|---|---|
| -e | der Tisch | die Tische | - | der Computer | die Computer |
| e (+ Umlaut) | der Stuhl | die Stühle | s | das Auto | die Autos |
| -en | die Zahl | die Zahlen | -er | das Kind | die Kinder |
| -n | die Tasche | die Taschen | -er (+ Umlaut) | das Haus | die Häuser |
| -nen | die Lehrerin | die Lehrerinnen |  |  |  |

Lerntipp
Lernen Sie die Nomen immer mit Plural.

**Artikel und Pronomen**

Der Schrank ist alt. Er ist alt.
Das Bett ist alt. Es ist alt.
Die Küche ist modern. Sie ist modern.
Die Blumen sind schön. Sie sind schön.

**Das unpersönliche Pronomen: *man***

Mit *man* steht das Verb in der 3. Person Singular.

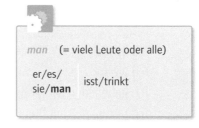

*man* (= viele Leute oder alle)

er/es/
sie/**man**  isst/trinkt

Wie schreibt *man* das?

Hier kann *man* Geld wechseln.

## 3 Präpositionen

### Temporale Präpositionen (Zeit): *am, um, bis, von ... bis*

| am: | Wochentag/Tagesabschnitt | am Montag, am Vormittag, (!) in der Nacht |
|---|---|---|
| um: | Uhrzeit | um 8 Uhr, um halb 10, um 13 Uhr 30<br>Der Film beginnt um 20 Uhr. |
| bis: → • | | Er geht bis 22 Uhr. |
| von ... bis: • → • | | Er geht von 20 Uhr bis 22 Uhr. |

### Lokale Präpositionen (Ort): *in, nach*

| in: | Wo? | **In** Berlin gibt es viele Sehenswürdigkeiten. |
|---|---|---|
| bei: | | Ich bin **beim** Friseur. |
| nach: | Wohin? | Ich komme gern **nach** Berlin. |
| zu: | | Ich gehe **zum** Bahnhof. |
| aus: | Woher? | Er kommt **aus** Italien. |
| von: | | Sie kommt heute spät **von** der Arbeit. |

### Präpositionen mit Dativ:
*aus, bei, mit, nach, seit, von, zu, vor* (temporal)

Ich bin schon seit einem Jahr in Deutschland.

Ich wohne bei meinen Eltern.

Ich gehe jeden Morgen um 8 Uhr aus dem Haus.

Ich fahre mit dem Bus zur Sprachschule.

Von der Haltestelle muss ich noch 5 Minuten zu Fuß gehen.

Vor dem Deutschkurs gehe ich joggen.

Nach dem Deutschkurs möchte ich eine Arbeit suchen.

| | | |
|---|---|---|
| bei dem | = | beim |
| von dem | = | vom |
| zu dem | = | zum |
| zu der | = | zur |

# 4 Die Wörter im Satz

### Sätze und W-Fragen

Das konjugierte Verb steht immer auf Position 2.

|  | Position 2 |  |
|---|---|---|
| Woher | **kommen** | Sie? |
| Ich | **komme** | aus Costa Rica. |
| Wie | **heißt** | Ihr Sohn? |
| Er | **heißt** | Lukas. |
| Was | **bist** | du von Beruf? |
| Ich | **bin** | Lehrerin. |

| Am Wochenende | **besuche** | ich meine Freunde. |
|---|---|---|
| Ich | **besuche** | am Wochenende meine Freunde. |
| Dann | **machen** | wir eine Radtour. |

### Ja/Nein-Fragen (Satzfragen)

| Kommen | Sie aus München? |
|---|---|
| Haben | Sie morgen Zeit? |
| Möchtest | du einen Kaffee? |
| Kennt | ihr Berlin? |

### Satzklammer (trennbare Verben, Modalverben)

| Wann | holst | du die Kinder vom Kindergarten | ab? |
|---|---|---|---|
| Ich | hole | sie am Nachmittag | ab. |
| Frau Steiner | muss | am Morgen früh | aufstehen. |
| Frau Kuhn | will | am Wochenende nicht | arbeiten. |

### Verneinung mit *nicht* oder *kein*

| ein → *kein* | Ich habe einen Tisch / ein Sofa / eine Waschmaschine / Stühle.<br>Ich habe keinen Tisch / kein Sofa / keine Waschmaschine / keine Stühle. |
|---|---|
| ⚠ Auch *kein* bei: | Ich habe kein Geld / keine Zeit / keine Lust.<br>Ich mag keinen Kaffee / keinen Käse / keine Kartoffeln. |
| Sonst immer *nicht*: | Heute kommt er. Morgen kommt er nicht.<br>Sie isst gern Käse. Sie isst nicht gern Käse.<br>Ich arbeite viel. Ich arbeite nicht viel. |

Hier finden Sie alle Hörtexte, die nicht oder nicht vollständig im Arbeitsbuch abgedruckt sind oder die Sie nicht im Lösungsschlüssel finden.

### 1 Willkommen!

**9**

1 • Wo lernst du Deutsch?
  • In der VHS.
  • VHS. Was ist das?
  • Volkshochschule.

2 • Das ist mein Auto.
  • Super. Ein BMW.

3 • Wie heißt das Auto?
  • Das ist ein VW, ein Volkswagen.
    Ein VW Golf.

4 • Was ist das?
  • Das ist eine DVD von Justin Timberlake.

**10**

1 • Guten Tag. Wie heißen Sie?
  • Halina Jankowska.
  • Halina … äh … wie bitte?
  • Moment, ich buchstabiere:
    J – a – n – k – o – w – s – k – a.
  • Frau Jankowska, woher kommen Sie?
  • Ich komme aus Lublin in Polen.

2 • Ich heiße Fernando Matola.
  • Fernando … ?
  • Matola. M – a – t – o – l – a.
  • Und woher kommen Sie?
  • Ich komme aus Maputo in Mosambik.
  • Mapu…?
  • Maputo. M – a – p – u – t – o.

3 • Wie ist Ihr Name?
  • Akina Bürger.
  • Bürger? Wie schreibt man das?
  • B – ü – r – g – e – r.
  • Und woher kommen Sie?
  • Ich komme aus Japan, aus Kanazawa.
    K – a – n – a – z – a – w – a.

4 • Wie heißen Sie?
  • Matthew Smith.
  • Matthew? Wie schreibt man das?
  • M – a – t – t – h – e – w.
  • Woher kommen Sie?
  • Ich komme aus Wellington in Neuseeland.
    W – e – l – l – i – n – g – t – o – n.
    Wellington.

**12**

1 • Hallo, Lukas, wie geht's?
  • Hallo José. Gut. Und dir?
  • Super!

2 • Guten Tag, wie heißen Sie?
  • Ich heiße Kloberdanz, Heiko Kloberdanz.
    Und Sie?
  • Diego Sanchez.

3 • Guten Tag, Frau Schneider.
  • Guten Tag, Frau Wang, wie geht es Ihnen?
  • Gut, danke, und Ihnen?
  • Auch gut.

4 • Wie heißt du?
  • Ich heiße Thomas, und du?
  • Ich heiße Elisabeth.

**14**

1 • Hallo Vivian!
  • Hallo Lea, wie geht's?
  • Gut. Und dir?

2 • Auf Wiedersehen, Herr Abiska.
  • Auf Wiedersehen, Frau Smith.

3 • Guten Tag, Frau Smith.
  • Guten Tag, Herr Abiska.

4 • Tschüs Vivian.
  • Tschüs Lea.

**27**

  • Guten Tag, ich heiße Javier Gonzalez. Ich möchte mich für den Kurs Deutsch als Fremdsprache B1 anmelden.
  • Einen Moment bitte. Gonzales – wie schreibt man das?
  • G – O – N – Z – A – L – E – S.
  • Danke, und der Vorname?
  • Javier: J – a – v – i – e – r.
  • Wo wohnen Sie?
  • In Steinfurt. Die Adresse ist Südstraße 12, 48565 Steinfurt.
  • Und Ihre Telefonnummer oder Handynummer?
  • Meine Handynummer ist 0171 678329.
  • Haben Sie eine E-Mail-Adresse?
  • Ja, gonzales@gma.de

- Gut, dann brauche ich noch Ihr Herkunftsland und Ihren Beruf. Woher kommen Sie? Und was sind Sie von Beruf?
- Ich komme aus Spanien. Ich bin Student.
- Danke, das ist alles.

## 28

1 - Wie geht's?
- Super!!!!

2 - Wie geht's?
- Na ja, es geht.

3 - Wie geht's?
- Sehr gut!!

4 - Wie geht's?
- Oh, schlecht. Sehr schlecht.

5 - Wie geht's?
- Gut.

## Wichtige Wörter 4b

Bitte wiederholen Sie.
Bitte noch einmal.
Bitte buchstabieren Sie.

## Wichtige Wörter 5

- Wie heißen Sie?
- Ich heiße Eva Morales.
- Wie schreibt man das? Bitte buchstabieren Sie.
- Der Vorname ist: E – v – a –, der Familienname ist Morales: M – o – r – a – l – e – s.
- Woher kommen Sie?
- Ich komme aus Peru.
- Bitte buchstabieren Sie.
- P – e – r – u.
- Danke. Und was sind Sie von Beruf?
- Ich bin Ingenieurin.

## Alte Heimat, neue Heimat

## 13

1 - Wie viel kostet der Laptop?
- 565 Euro.
- Oh, das ist aber teuer.

2 - Und wie viel kostet das Handy?
- Nur 35 Euro.
- Das ist nicht teuer.

3 - Die Lampe kostet 57 Euro.
- Ja, aber sie ist sehr schön.

4 - Wie viel kostet der Tisch?
- Nur 64 Euro.
- 64 Euro? Das ist ok.

## 15

1 - Wie ist die Vorwahlnummer von München?
- Die Vorwahl von München? Ich denke, die 0 – 8 – 9.

2 - Wie ist die Telefonnummer von Jonathan?
- 46 – 53 – 33 in Frankfurt am Main.
- Und welche Vorwahl hat Frankfurt?
- 0 – 6 – 9.

3 - Guten Tag, ich suche die Vorwahl von Berlin.
- Einen Moment. Die Vorwahl von Berlin ist 0 – 3 – 0.
- Danke.

4 - Deutschland hat die Vorwahl 49. Aber was ist die Vorwahl von Österreich und der Schweiz?
- Die Vorwahl von Österreich ist 43 und die von der Schweiz 41.

## 17

1 - Wie ist die Telefonnummer von Jonas?
- Moment, … die Nummer ist 0 – 3 – 1 – 6 – 54 – 67 – 37.

2 - Wie ist Ihre Telefonnummer?
- Meine Telefonnummer ist 64 – 62 – 08.

3 - Wie ist deine Handynummer?
- 0 – 1 – 5 – 2 – 25 – 37 – 52 – 4 – 8 – 2.

4 - Die gewünschte Nummer ist 030 / 23 90 52.

## 20b

Herr Berger kommt aus Frankfurt. Er ist Arzt. Er spricht Deutsch. Er lebt und arbeitet in Berlin.

## Wichtige Wörter 6

der CD-Player, die CD-Player – die Jacke, die Jacken – das Lineal, die Lineale – der Markierstift, die Markierstifte – das Notizbuch, die Notizbücher – das Portemonnaie, die Portemonnaies – der Radiergummi, die Radiergummis – die Schere, die Scheren – die Tasse, die Tassen – der Zettel, die Zettel

## Wichtige Wörter 7

die Zettel – die Bleistifte – die Markierstifte – die Plakate – die Scheren – die CDs – die Wörterbücher – die Uhren – die Stühle

### Wichtige Wörter 8a

die Tür und das Fenster
die Jacke, das Portemonnaie und der Schlüssel

der Laptop, der USB-Stick, das Tablet und das Handy

der Tisch, die Flasche, die Tasse, das Buch und das Notizbuch

 **Häuser und Wohnungen**

### 7a

- Also, wir haben schon eine Spülmaschine und einen Kühlschrank. Im Wohnzimmer ist aber noch kein Regal.
- Ja, dann kaufen wir das Regal bei Möbel Barth. Da sind Regale nicht so teuer.
- Gut, wir brauchen aber auch noch Blumen und wir haben kein Sofa. Das Wohnzimmer ist nicht schön.
- Ja, das ist richtig. Aber wir haben schon Stühle, zwei Sessel und der Fernseher ist auch da. In der Küche brauchen wir noch einen Herd.
- Ach, wir brauchen noch sehr viel.

### 14

- Wie findest du das Zimmer, Markus?
- Also, ich weiß nicht, Irina … Der Tisch ist ganz schön, aber den Sessel und das Sofa finde ich hässlich.
- So? Ich finde den Sessel und das Sofa schön. Sie sind modern und gemütlich.
- Und das Bild?
- Das finde ich furchtbar. Aber die Regale sind schön.
- Und der Schrank ist auch sehr schön.
- Na ja, der Schrank ist nicht schlecht.

### 19

Meine Frau und ich wohnen in Hannover, in der Südstraße 17. Wir haben eine 3-Zimmer-Wohnung. Das Haus hat zwei Stockwerke und drei Wohnungen. Wir wohnen im ersten Stock. Die Wohnung ist schön. Sie hat keine Terrasse, aber einen Balkon.

### 25

- Also Jan, brauchst du jetzt eine Lampe oder nicht?
- Ich habe genug Lampen. Ich brauche keine.
- Aber du brauchst ein Bett und einen Schrank.
- Ja, ein Bett brauche ich. Wie findet ihr das Bett hier? Es ist nicht teuer. Und bequem.
- Ja, es kostet 350 Euro. Das ist ok.
- Stimmt, das Bett ist nicht schlecht.
- Nehmen wir dann das Bett?
- Ja.
- Toll. Aber wo kaufen wir den Schrank? Hier sind Schränke sehr teuer.
- Ich habe eine Idee. Bei Möbel Bertolt sind jetzt Schränke im Angebot.
- O.k. Dann gehen wir morgen zu Möbel Bertolt und wir kaufen dort einen Schrank.

### 4 Familienleben

### 3a

**DIALOG 1:**

- Wer ist das?
- Das hier ist mein Onkel Martin und das ist meine Tante Bianca.
- Und die Kinder?
- Links, das ist meine Cousine Caroline. Und rechts, das ist mein Cousin Marc.

**DIALOG 2:**

- Wer ist das?
- Das ist mein Bruder Alberto und das sind seine drei Kinder, also meine Nichten Rita und Maria und mein Neffe Daniel.

### 3b

**DIALOG 1**

- Wer ist das?
- Das ist mein Bruder Alberto und das sind seine drei Kinder, also meine Nichten Rita und Maria und mein Neffe Daniel.

**DIALOG 2**

- Wer ist das?
- Das hier ist mein Onkel Martin und das ist meine Tante Bianca.
- Und die Kinder?
- Links, das ist meine Cousine Caroline. Und rechts, das ist mein Cousin Marc.

### 15

- Hallo Ivan, was machen wir am Wochenende in Bremen?
- Also, zuerst kaufen wir Lebensmittel ein, dann frühstücken wir und danach besichtigen wir die Stadt.

- Hat Bremen viele Sehenswürdigkeiten?
- Natürlich! Es gibt zum Beispiel den Roland und die Böttcherstraße. Die besichtigen wir zuerst.
- Und was besichtigen wir noch?
- Es gibt auch noch den Hafen, das Schnoorviertel, …
- Einen Hafen? Das finde ich interessant. Dann machen wir eine Hafenrundfahrt!
- Na ja, der Hafen ist klein und ich finde Hafenrundfahrten langweilig.
- Gut, dann besichtigen wir danach das Schnoorviertel und die Bremer Stadtmusikanten.
- Ja, das machen wir. Das Schnoorviertel ist sehr interessant.

## Wichtige Wörter 8a

Zuerst liest Diego eine Zeitung. Danach macht er eine Radtour.
Dann kauft er eine Pizza im Supermarkt. Danach schreibt er eine E-Mail.
Dann fährt er nach Köln. Er besichtigt den Dom. Er trifft Isabel und sie machen zuerst eine Schifffahrt auf dem Rhein.
Danach essen sie im Restaurant.

Isabel trinkt zuerst einen Kaffee. Dann nimmt sie den Bus und besucht ihre Großeltern.
Sie isst zu Mittag. Dann lernt sie Deutsch. Danach chillt sie. Sie trifft Diego und sie machen zuerst eine Schifffahrt auf dem Rhein. Danach essen sie im Restaurant.

## Der Tag und die Woche

### 2

Ich bin Peter Böhme. Sie fragen, was mein Hobby ist? Also, ich spiele gern Fußball. Wir joggen auch viel beim Training. Aber Joggen finde ich sehr langweilig.

Ich heiße Martin, Martin Berger. Ich lese gern Bücher. Am Wochenende lese ich immer viel. Internet finde ich langweilig. Ich surfe nicht gern im Internet.

Mein Name ist Barbara Veit. Mein Mann und ich tanzen gern. Wir machen einmal pro Woche einen Tanzkurs und gehen auch am Wochenende gern tanzen. Wir haben auch noch andere Hobbys. Ich male gern. Mein Mann spielt gern Fußball. Ich finde Fußball nicht interessant.

Also, ich bin Brigitte Tillner und ich habe viele Hobbys. Ich höre gern Musik, ich schwimme gern und ich tanze gern. Aber ich jogge nicht gern.

### 4

1
- Wann beginnt der Film?
- Ich glaube um Viertel nach acht.

2
- Beginnt das Fußballspiel um 6 Uhr?
- Nein, um halb sieben

3
- Wann beginnt das Fest?
- Um halb zehn. Wir haben noch Zeit.

### 19

- Gehen wir heute Abend schwimmen?
- Heute habe ich keine Zeit, ich arbeite am Abend.
- Hast du morgen Zeit?
- Ja, morgen geht es um 18.00 Uhr.
- Geht es auch später?
- Okay. Um 19 Uhr?
- Ja, 19 Uhr ist gut.
- Bis morgen.

### 22

- Katja Schulze, ja bitte?
- Hallo Katja, hier ist Marina.
- Marina, hallo wie geht es dir?
- Mir geht es gut. Hör mal, Katja, ich bin jetzt ein paar Tage in Köln. Hast du heute Abend Zeit?
- Nein, leider nicht. Aber morgen Abend habe ich Zeit. Was machst du morgen, Marina?
- Hm, morgen Abend ist Donnerstag. Ich treffe Paul und Martin. Und am Freitagabend?
- Mal sehen… Ja, Freitag ist o.k.
- Dann können wir zusammen essen gehen.
- Ja, super Idee. Und was machst du am Samstag?
- Am Samstag fahre ich wieder zurück nach Bremen.

### 25

- Jochen, was machen wir am Wochenende?
- Ach, ich weiß nicht, Franka. Die Angebote sind so langweilig.
- Und das Fußballspiel Hertha gegen Freiburg? Du findest doch Fußball interessant.
- Ja, aber der SC Freiburg ist nicht interessant.
- Am Abend gibt es ein Konzert in der Philharmonie. Wir findest du das? Es gibt auch Stücke von Beethoven.

- Du weißt, ich höre gerne Musik. Aber wir waren erst am Dienstag in einem Konzert.
- O.k. Dann ist noch das Filmmuseum da. Da läuft am Sonntag ein Film von 1925.
- Ja, das ist sicher interessant, ich liebe alte Filme, aber am Sonntag bin ich nicht da.
- Ich sehe gerade, der Film läuft auch am Samstag um 15.00 Uhr.
- Dann sehen wir den Film am Samstag und am Mittag gehen wir essen.
- Ja, ich kenne ein China-Restaurant. Das ist sehr gut.

## Wichtige Wörter 6

- Herr und Frau Vorfelder, Ihre Freunde und Bekannten sagen, Sie sind das Ehepaar mit den 100 Hobbys. Stimmt das?
- Na ja, 100 Hobbys sind natürlich etwas viel, aber wir sind beide schon sehr aktiv. Ich zum Beispiel gehe dreimal pro Woche schwimmen und ich spiele in einer Frauenmannschaft Fußball. Am Sonntagnachmittag gehe ich gerne tanzen.
- Gehen Sie dann mit, Herr Vorfelder?
- Ja natürlich, wir tanzen beide sehr gerne. Aber sonst mache ich nicht so viel Sport. Fußball zum Beispiel finde ich langweilig und Schwimmen mag ich auch nicht. Ich fotografiere viel und gerne und mit Freunden spiele ich jeden Mittwochabend Karten. Außerdem bin ich im Musikverein. Ich spiele Trompete.
- Wie finden Sie die Hobbys von Ihrem Mann?
- Also, Fotografieren finde ich sehr interessant, denn mein Mann macht wirklich schöne Fotos, aber Karten spielen… naja. Ich war einmal dabei und es war doch sehr langweilig für mich.
- Sie gehen zusammen tanzen. Was machen Sie außerdem noch zusammen?
- Wir finden beide Karaoke singen gut. Das machen wir auch gerne mit Freunden zusammen.
- Aber das machen wir nicht so oft. Vielleicht einmal im Monat, denn in unserem Wohnort gibt es keine Karaokebar. Wir müssen immer 50 Kilometer nach Berlin fahren.

## 6  Guten Appetit!

### 16

Meine Damen und Herren! Heute haben wir für Sie im Angebot: ein Becher Joghurt für nur 69 Cent, ein Pfund Kaffee für nur 3,99 €. Eine Tafel Schokolade bekommen Sie heute schon für 59 Cent. Und unser Backshop hat heute Apfelkuchen im Angebot: das Stück für nur 1,40 €.

### 18

- Guten Tag, was möchten Sie?
- 300 g Hackfleisch, bitte
- 300 Gramm Hackfleisch, das macht 2,40 €. Haben Sie noch einen Wunsch?
- Ja, ich nehme auch 5 Scheiben Schinken.
- Ist das alles?
- Ja, vielen Dank.
- Das macht dann zusammen 4,10 €. Haben Sie es passend?
- Nein, leider nicht. Ich habe nur 10 Euro.
- Dann bekommen Sie 5,90 Euro zurück.

### 23a

- Herr Fechner, was essen Sie zum Frühstück?
- Ich esse oft Brot mit Marmelade.
- Und was trinken Sie?
- Am Morgen trinke ich immer Kaffee.
- Und Sie Frau Mertens, was essen Sie oft zum Mittagessen?
- Ich esse eine Suppe und dazu einen Salat.
- Robert, was isst du zum Abendessen?
- Ich esse immer zwei Brote mit Wurst und Tomaten und manchmal auch nur Tomaten.
- Und was trinkst du?
- Tee oder Apfelsaft.

## Wichtige Wörter 6a

1 • Hallo Ewa, magst du Pudding mit Salz und Pfeffer?
  • Nein, das finde ich furchtbar.

2 • Erik. isst du gern Müsli mit Äpfel und Birnen?
  • Ja, das mag ich.

3 • Maria, findest du Kaffee mit Honig gut?
  • Nein, das trinke ich ganz bestimmt nicht.

## 13

### 1

Meine Arbeit fängt um 18 Uhr am Abend an. Ab 19 Uhr kommen viele Leute, denn sie wollen essen. Dann habe ich viel Arbeit. Leider verdiene ich sehr wenig. Am Samstag und Sonntag arbeite ich manchmal auch am Mittag.

### 2

Ich arbeite immer am Vormittag in einer Schule. Die Kinder sind 6 bis 10 Jahre alt. Sie lernen schreiben, lesen und rechnen. Ich verdiene nicht schlecht. Die Arbeit ist aber manchmal anstrengend, denn die Kinder sind oft laut und sitzen nicht ruhig.

### 3

Ich bin Briefträgerin. Ich fange schon sehr früh mit der Arbeit an. Zuerst sortiere ich die Post, dann bringe ich sie zu den Leuten. Die Arbeit ist gut, ich bin viel draußen und das ist schön. Manchmal habe ich aber auch Probleme: Ich kann die Adressen schlecht lesen oder es ist sehr kalt.

## 17a

- Stephanie, ich gehe jetzt einkaufen.
- Gut, Thomas, aber zuerst musst du zur Bank gehen. Wir brauchen Geld.
- O.k, ich hole 200 Euro.
- Und wir müssen auch noch 150 Euro für die Kita von Robert überweisen.
- Gut, hier ist ein Formular. Mal sehen, hast du die Bankverbindung von der Kita?
- Ja, die ist hier. Das ist bei der Regiobank in Potsdam. Mal sehen: Die IBAN ist DE69 10070000 0319273403.

## 17b

- Wie bitte? Kannst du das wiederholen?
- Also die IBAN ist DE69 10070000 0319273403.
- Und ich muss 150 Euro überweisen?
- Ja, 150 Euro.

Auf dieser CD finden Sie alle Hörtexte zum Arbeitsbuch.

| Nr | | | Seite |
|---|---|---|---|
| 1 | Nutzerhinweis | | |
| | **Lektion 1** | **Willkommen!** | |
| 2 | **Ü1** | Wie heißen Sie? | 4 |
| 3 | **Ü2** | Begrüßungsdialog | 4 |
| 4 | **Ü4** | Begrüßungsdialog 2 | 4 |
| 5 | **Ü8a** | Das Alphabet | 5 |
| 6 | **Ü8b** | Die besonderen Buchstaben | 5 |
| 7 | **Ü9** | Abkürzungen | 5 |
| 8 | **Ü10** | Wie heißen die Leute? | 6 |
| 9 | **Ü12** | Formell oder informell? | 6 |
| 10 | **Ü13** | Mein Name ist Schmitt. | 7 |
| 11 | **Ü14** | Jemanden begrüßen/verabschieden | 7 |
| 12 | **Ü15** | Jemanden begrüßen/verabschieden 2 | 7 |
| 13 | **Ü22** | Zahlen bis 20 | 9 |
| 14 | **Ü24** | *Sie* oder *du*? | 10 |
| 15 | **Ü27** | In der Sprachschule | 11 |
| 16 | **Ü28** | Wie geht's? | 11 |
| 17 | **Wörter Ü3** | Wörter hören und nachsprechen | 13 |
| 18 | **Wörter Ü4a** | Wörter hören und zuordnen | 14 |
| 19 | **Wörter Ü4b** | Wörter hören und nachsprechen | 14 |
| 20 | **Wörter Ü5** | Hören und Informationen ergänzen | 15 |
| | **Lektion 2** | **Alte Heimat, neue Heimat** | |
| 21 | **Ü1b** | Kontinente | 16 |
| 22 | **Ü3b** | Fragen und Antworten | 17 |
| 23 | **Ü12b** | Zahlen | 20 |
| 24 | **Ü13** | Wie viel kostet …? | 20 |
| 25 | **Ü15** | Telefon-Vorwahlen | 21 |
| 26 | **Ü17** | Telefonnummern | 21 |
| 27 | **Ü20b** | Diktat | 22 |
| 28 | **Wörter Ü1b** | Nomen und Verben | 25 |
| 29 | **Wörter Ü4** | Wörter hören und nachsprechen | 25 |
| 30 | **Wörter Ü6** | Neue Wörter nachsprechen | 26 |
| 31 | **Wörter Ü7** | Wörter im Plural | 27 |
| 32 | **Wörter Ü8a** | Wörter in Gruppen | 27 |
| | **Lektion 3** | **Häuser und Wohnungen** | |
| 33 | **Ü7a** | Bei Familie Canfora | 30 |
| 34 | **Ü14a+b** | Wie finden Irina und Markus die Möbel? | 32 |
| 35 | **Ü15b** | Was ist das? | 32 |
| 36 | **Ü19** | Wo wohnt Familie Müller? | 33 |
| 37 | **Ü25b+c** | Im Möbelhaus | 35 |
| 38 | **Wörter Ü1** | Wörterrätsel | 37 |
| 39 | **Wörter Ü2** | Wörter hören und nachsprechen | 37 |
| 40 | **Wörter Ü3b** | Wörter nachsprechen | 38 |

# Audio-CD zum Arbeitsbuch A1.1

**Pluspunkt Deutsch A1.1**
**Leben in Deutschland**

**Studio:** Studio-Kirchberg, Lollar
**Redaktion:** Dieter Maenner und Laura Nielsen
**Tontechnik:** Peter Herrmann
**Regie:** Peter Herrmann
**Musik:** Peter Herrmann

**Copyright:** © Peter Herrmann, Studio Kirchberg, Lollar

**Sprecherinnen und Sprecher:** Katrin Bürger, Christian Burggraf, Knut Eisold, Jacqueline Herrmann, Peter Herrmann, Jessica Homann, Mira Leyerer, Alexander Liebe, Cordula Poos, Johannes Seeliger, Justine Seewald, Stefan Skrzek, Patricia Stasch, Manuela Weichenrieder

**Titelbild:** © Cornelsen Schulverlage, Hugo Herold Fotokunst

Arbeitsbuch Teilband1: 978-3-06-120564-5

Arbeitsbuch Gesamtband: 978-3-06-120555-3

Kursbuch Teilband 1: 978-3-06-120563-8

Kursbuch Gesamtband: 978-3-06-120552-2

Handreichung für den Unterricht A 1: 978-3-06-120572-0

# Bildquellen

**Cover** Cornelsen Schulverlage, Hugo Herold – **S. 4** Cornelsen Schulverlage, Hugo Herold – **S. 6** 1: Fotolia, Gina Sanders; 2: Fotolia, Robert Kneschke; 3: Fotolia, eyetronic; 4: Fotolia, Janina Dierks – **S. 8** 1: Fotolia, contrastwerkstatt; 2: Fotolia, Valua Vitaly; 3: Shutterstock, Donskaya Olga – **S. 9** 1: Fotolia, Lucky Dragon; 2: Shutterstock, Nola Rin; 3: Fotolia, babimu; 4: Fotolia, Petair; 5: Fotolia, KABUGUI – **S. 11** 1: Fotolia, Kzenon; 2: Shutterstock, bikeriderlondon – **S. 14** Cornelsen Schulverlage, Hugo Herold – **S. 15** Cornelsen Schulverlage, Hugo Herold – **S. 16** Cornelsen Schulverlage, Dr. Volker Binder – **S. 18** oben 1: akg-images / Marion Kalter; oben 2: action press / XINHUA; oben 3: Shutterstock, Fingerhut; unten 1: Fotolia, Marina Lohrbach; unten 2: Fotolia, GoldPix; unten 3: Fotolia, Igor Tarasov; unten 4: Fotolia, B. Wylezich – **S. 19** 5: Fotolia, gradt; 6: Fotolia, by-studio; 7: Fotolia, by-studio; 8: Fotolia, Schlierner – **S. 20** 1: Fotolia, PhotoSG; 2: Fotolia, Pixelspieler; 3: Fotolia, ThorstenSchmitt; 4: Fotolia, bystudio – **S. 21** 1: Fotolia, Oliver Raupach; 2: Fotolia, Kristan; 3: Fotolia, M. Klawitter; 4: Fotolia, md3d; 5: Fotolia, somartin; 6: Fotolia, DR – **S. 22** links: Fotolia, Manuel Tennert; rechts: Fotolia, Dan Race – **S. 23** 1: Fotolia, nmann77; 2: Fotolia, eyewave; 3: Shutterstock, Symbiot; 4: Fotolia, Thomas Francois; 5: Fotolia, Joshhh; 6: Fotolia, fmarsicano; 7: Fotolia, Jacek Chabraszewski; 8: Shutterstock, Victor Maschek – **S. 26** 1: Fotolia, VRD; 2: Fotolia, Kathrin39; 3: Fotolia, Igor Tarasov; 4: Fotolia, gradt; 9: Fotolia, B. Wylezich; 10: Fotolia, Schlierner; 11: Fotolia, ThorstenSchmitt; 12: Fotolia, PhotoSG; 17: Fotolia, Christian Schwier; 18: Fotolia, montebelli; 19: Fotolia, DOC RABE Media; 20: Fotolia, PRILL Mediendesign; 25: Fotolia, rdnzl; 26: Fotolia, Lucky Dragon; 27: Fotolia, by-studio; 28: Fotolia, YK – **S. 27** 5: Fotolia , Adamus; 6: Fotolia, apfelweile; 7: Fotolia, Foto-Ruhrgebiet; 8: Fotolia, Pixelspieler; 13: Fotolia, BEAUTYofLIFE; 14: Fotolia, Olga Kovalenko; 15: Fotolia, Daniela Stärk; 16: Fotolia, jd-photodesign; 21: Fotolia, markus_marb; 22: Fotolia, gena96; 23: Fotolia, Max Diesel; 24: Fotolia, Maceo; 29: Fotolia, by-studio; 30: ClipDealer, Prill Mediendesign & Fotografie; 31: Shutterstock, Yuyula; 32: ClipDealer, Teamarbeit - Heike Brauer – **S. 28** Fotolia, Mihalis A. – **S. 30** oben: Fotolia, VRD; Mitte: Fotolia, Schlierner; unten: ClipDealer, Prill Mediendesign & Fotografie – **S. 32** oben: Fotolia, by-studio; 2. von oben: Fotolia, mekcar; Mitte: Fotolia, Daniel Etzold; 2. von unten: Fotolia, Birgit Reitz-Hofmann; unten: Fotolia, Sondem – **S. 33** oben: Shutterstock, Boudikka; unten links: ClipDealer, ArTo; unten Mitte: Fotolia, Tiberius Gracchus; unten rechts: Fotolia, Jürgen Fälchle – **S. 35** Cornelsen Schulverlage, Hugo Herold – **S. 38** 1: Fotolia, alexandre zveiger; 2: Fotolia, Iriana Shiyan; 3: Fotolia, Monster; 4: Fotolia, Jürgen Fälchle – **S. 39** 5: Fotolia, Sandra Kemppainen; 6: Shutterstock, JPagetRFPhotos; 7: Shutterstock, Elena Elisseeva; 8: Fotolia, bartholomäus – **S. 40** oben + 1 + 2: Fotolia, Monkey Business – **S. 41** links: Shutterstock, Arina P Habich; rechts: Shutterstock, Monkey Business Images – **S. 42** oben links: Fotolia, lu-photo; oben 2. von links: Fotolia, jonasginter; unten links: Fotolia, B. Wylezich; unten 2. von links: Fotolia, maybepix; oben 2. von rechts: Fotolia, PictureFactory; oben rechts: Fotolia, Markus Mainka; unten 2. von rechts: Fotolia, PhotoSG; unten rechts: Fotolia, B. Wylezich – **S. 44** links: Fotolia, europhotos; 2. von links: Shutterstock, JLR Photography; 2. von rechts: ClipDealer, Fotodesign Czerski; rechts: Fotolia, Kara – **S. 47** links: Fotolia, hanphosiri; oben rechts: Fotolia, Jan Becke; unten rechts: Fotolia, gina191 – S. 50 oben links: Shutterstock, Nadino; oben Mitte: Fotolia, Marco2811; oben rechts: Shutterstock, 501room; Mitte links: Fotolia, Petair; Mitte: Fotolia, Irina Fischer; Mitte rechts: Fotolia, anweber; unten links: Fotolia, Bacho Foto; unten Mitte: Shutterstock, Jonathan Feinstein; unten rechts: ClipDealer, Arsenii Gerasymenko – **S. 51** oben links: Fotolia, pepmiba; oben Mitte: Fotolia, Dessie; oben rechts: Shutterstock, William Perugini; Mitte links: ClipDealer, A. L; Mitte: Shutterstock, 501room; Mitte rechts: Fotolia, ucius; unten links: Fotolia, Irina Fischer; unten Mitte: Fotolia, seen; unten rechts: Fotolia, Rob – **S. 54** 1: Fotolia, chagin; 2: Shutterstock, Iakov Filimonov; 3: ClipDealer, Monkey Business Images; 4: Fotolia, JackF; 5: Fotolia, benik. at; 6: Fotolia, Syda Productions; 7: Fotolia, Maridav; 8: Shutterstock, Malyugin; 9: Fotolia, mast3r – **S. 60** 1: Fotolia, Sabphoto; 2: Fotolia, Leonidovich; 3: Fotolia, Africa Studio – **S. 68** oben links: Fotolia, rdnzl; oben 2. von links: Fotolia, Pixelspieler; oben 2. von rechts: Fotolia, GVictoria; oben rechts: Fotolia, Nik; Mitte links: Fotolia, Elena Schweitzer; Mitte 2. von links: Fotolia, TrudiDesign; Mitte 2. von rechts: Shutterstock, jeehyun; Mitte rechts: Fotolia, anoli; unten links: Shutterstock, Bork; unten 2. von links: Fotolia, stockphoto-graf; unten 2. von rechts: Fotolia, Kramografie; unten rechts:

# Notizen

# Notizen

# PLUSPUNKT DEUTSCH

## Leben in Deutschland

ARBEITSBUCH TEILBAND 1

## A1.1

## LÖSUNGEN

# Lösungen

## Lektion 1  Willkommen!

**1**
- Guten Tag, ich heiße Murielle Ramanantsoa. Wie heißen Sie?
- Ich heiße José Aguilar. Woher kommen Sie?
- Ich komme aus Madagskar. Und Sie?
- Ich komme aus Peru.

**2**
- Guten Tag. Ich heiße José Garcias. Wie heißen Sie?
- Ich heiße Magdalena Ziowska.
- Woher kommen Sie?
- Ich komme aus Polen.

**4**
- Guten Morgen. Mein Name ist Anna Gomes. Ich bin neu hier.
- Guten Morgen. Entschuldigung, wie heißen Sie?
- Ich heiße Gomes. Anna Gomes. Und Sie?
- Ich heiße Funda Aydin. Ich wohne schon lange hier. Woher kommen Sie?
- Ich komme aus Portugal. Und das ist Maria.
- Hallo, Maria. Willkommen!

**5**
Woher kommen Sie?
Ich komme aus der Ukraine.
Ich wohne schon lange hier.
Ich bin neu hier im Haus.
Mein Name ist Georg Hauser.

**6a**
Wie heißen Sie? Woher kommen Sie? Wer ist das?

**6b**
1  Wer ist das?
2  Wie heißen Sie?
3  Woher kommen Sie?

**7a**
1  Wie heißen Sie?
2  Woher kommen Sie?
3  Wer ist das?

**8a**
A B C D E F G H I J K L M N O P Q R S T U V W X Y Z

**8b**
1 ß – 2 Ä – 3 Ö – 4 Ü

**9**
VHS – BMW – VW – DVD

**10**
1  Name: Halina Jankowska
2  Name: Fernando Matola, Stadt: Maputo

**3**  Name: Akina Bürger, Stadt: Kanazawa
**4**  Name: Matthew Smith, Stadt: Wellington

**11a**
1  • Guten Tag, Frau Kern.
   • Guten Tag. Wie geht es Ihnen, Herr Böhm?
   • Gut. Und Ihnen?
   • Danke, es geht.
2  • Hallo Felix! Wie geht es dir?
   • Gut. Und dir, Hannah?
   • Danke, gut.

**11b**
**formell:** Dialog  1, **informell:** Dialog 2

**12**
**formell:** Dialog 2, Dialog 3
**informell:** Dialog 1, Dialog 4

**13**
1  • Guten Tag. Mein Name ist Schmitt, Anna Schmitt. Wie heißen Sie?
   • Guten Tag, Frau Schmitt. Mein Name ist Hans Meyer.
   • Guten Tag, Herr Meyer. Wie geht es Ihnen?
   • Danke, gut und Ihnen?
2  • Hallo. Wie heißt du?
   • Ich heiße Sara. Und du?
   • Ich heiße Lukas.
3  • Hallo, Lukas, wie geht es dir?
   • Danke, gut. Und dir?

**14**
A  Dialog 1, Dialog 3
B  Dialog 2, Dialog 4

**15**
1  Guten Tag. – Guten Morgen. – Hallo.
2  Wie heißen Sie? – Wie heißt du?
3  Auf Wiedersehen. – Tschüss.

**16**
Wie heißt du?
Wie heißen Sie?
Woher kommen Sie?
Was macht ihr?

**17a**
du lernst – ich komme – wir wohnen – ihr macht – Sie heißen – du machst – ich heiße – wir kommen – ihr wohnt – Sie lernen

## 17b

**machen:** ich mache – du machst – wir machen – ihr macht – Sie machen

**wohnen:** ich wohne – du wohnst – wir wohnen – ihr wohnt – Sie wohnen

**lernen:** ich lerne – du lernst – wir lernen – ihr lernt – Sie lernen

**kommen:** ich komme – du kommst – wir kommen – ihr kommt – Sie kommen

**heißen:** ich heiße– du heißt – wir heißen – ihr heißt – Sie heißen

## 18

1 ● Wie heißen Sie?
  ● Ich heiße Elisabeth Mahler.
2 ● Was macht ihr?/Was lernt ihr?
  ● Wir lernen Deutsch.
3 ● Woher kommst du?
  ● Ich komme aus Brasilien.
4 ● Wo wohnen Sie?
  ● Ich wohne in Frankfurt.

## 19a

ich bin – du bist – wir sind – ihr seid – Sie sind

## 19b

1 ● Wer bist du?
  ● Ich bin Lin.
2 ● Wer sind Sie?
  ● Wir sind Jan und Maria Kowalski.
3 ● Und wer sind Sie?
  ● Ich bin Erkan Öztürk.

## 20

1 ● Woher kommt ihr?
  ● Wir kommen aus dem Iran.
2 ● Wie heißen Sie?
  ● Ich heiße Christian Weber.
3 ● Was lernst du?
  ● Ich lerne Englisch.
4 ● Wo wohnen Sie?
  ● Ich wohne in Friedberg.
5 ● Wer seid ihr?
  ● Wir sind Laura und Susanne.
6 ● Was macht ihr in Berlin?
  ● Wir lernen Deutsch.

## 21

**1** zehn – **2** neunzehn – **3** zwanzig – **4** vier – fünf – sechs – **5** dreizehn

## 23

**1** Lehrerin – **2** Ingenieurin – **3** Verkäufer – **4** Friseur – **5** Arzt – **6** Altenpflegerin

## 24

**2** Was sind Sie von Beruf? – Was bist du von Beruf?
**3** Woher kommen Sie? – Woher kommst du?
**4** Wo wohnen Sie? – Wo wohnst du?

## 25a

Ich bin Farid Arslan. Ich komme aus Syrien und ich bin neu hier. Ich bin Programmierer von Beruf. Ich lerne Deutsch.

## 26a und b

Wie heißen Sie und woher kommen Sie? Ich heiße Clara Bai. Ich komme aus München. Ich wohne schon lange in Deutschland.

## 27a

Foto 2

## 27b

**Familienname:** Gonzalez – **Vorname:** Javier – **PLZ:** 48565 – **Telefonnummer:** 0171 678329 – **E-Mail:** gonzales@gma.de – **Land:** Spanien – **Beruf:** Student – **Sprachkurs:** B1

## 28

**2** Es geht. – **3** Sehr gut. – **4** Schlecht. – **5** Gut.

## Wichtige Wörter

## 1

**Beispiel:**

| | | |
|---|---|---|
| Wer? | ● Wer ist das? | ● Das ist Lola. |
| Wo? | ● Wo wohnen Sie? | ● Ich wohne in Dortmund. |
| Woher? | ● Woher kommen Sie? | ● Ich komme aus Peru. |

## 5

**Familienname:** Morales
**Vorname:** Eva
**Land:** Peru
**Beruf:** Ingenieurin

# Lösungen

## Lektion 2  Alte Heimat, neue Heimat

**1a**

Afrika – Europa – Nordamerika – Australien –
Asien – Südamerika

**2b**

**2**  Kenia liegt in Afrika.
**3**  China liegt in Asien.
**4**  Deutschland liegt in Europa.
**5**  Brasilien liegt in Südamerika.

**3a**

**1**D – **2**C – **3**A – **4**B

**3b**

**Frage 4** und Antwort 1 – **Frage 1** und Antwort 2 –
**Frage 2** und Antwort 3 – **Frage 3** und Antwort 4

**4**

**1**  sind – wohnen – lernen
**2**  kommt – ist – sucht – spricht
**3**  heißen – sprechen – ist – arbeiten

**5**

**kommen:** ich komme – du kommst – er/sie kommt –
wir kommen – ihr kommt – sie kommen –
Sie kommen

**suchen:** ich suche – du suchst – er/sie sucht –
wir suchen – ihr sucht – sie suchen – Sie
suchen

**heißen:** ich heiße – du heißt – er/sie heißt –
wir heißen – ihr heißt – sie heißen – Sie
heißen

**arbeiten:** ich arbeite – du arbeitest – er/sie arbeitet
– wir arbeiten – ihr arbeitet– sie arbeiten –
Sie arbeiten

**sprechen:** ich spreche – du sprichst – er/sie spricht –
wir sprechen – ihr sprecht – sie sprechen –
Sie sprechen

**sein:** ich bin – du bist – er/sie ist – wir sind –
ihr seid – sie sind – Sie sind

**6**

**1**  Sie – Sie
**2**  Er – Er – er
**3**  Sie – Sie

**8**

**2**  die Flasche – **3**  das Papier – **4**  die Lampe –
**5**  das Fenster – **6**  der Schlüssel– **7**  das Handy –
**8**  die Tasche

**9a**

**1**  der Tisch – **2**  der Stuhl – **3**  das Buch –
**4**  das Heft – **5**  die CD – **6**  der Bleistift –
**7**  die Uhr – **8**  der Kugelschreiber

**9b**

**2**  Das ist ein Stuhl. Der Stuhl kostet 12 Euro.
**3**  Das ist ein Buch. Das Buch kostet 8 Euro.
**4**  Das ist ein Heft. Das Heft kostet 1 Euro.
**5**  Das ist eine CD. Die CD kostet 17 Euro.
**6**  Das ist ein Bleistift. Der Bleistift kostet 50 Cent.
**7**  Das ist eine Uhr. Die Uhr kostet 18 Euro.
**8**  Das ist ein Kugelschreiber. Der Kugelschreiber
kostet 3 Euro.

**10a**

Das sind fünf Bleistifte, zwei Brillen, drei Bücher,
zwei Hefte, zwei Lampen, zwei Schlüssel, vier Stühle,
drei Tablets, drei Taschen, vier Uhren.

**10b**

-e (+ Umlaut):  das Heft, die Hefte – der Bleistift,
die Bleistifte – der Stuhl, die Stühle
-en:  die Uhr, die Uhren
-n:  die Brille, die Brillen – die Lampe,
die Lampen – die Tasche, die Taschen
- :  der Schlüssel, die Schlüssel
-s:  das Tablet, die Tablets
-er ( +Umlaut): das Buch, die Bücher

**11**

fünfundzwanzig, neunundvierzig, einundachtzig

**12a**

sechzehn – zweiunddreißig – vierundsechzig –
einhundertachtundzwanzig –
zweihundertsechsundfünfzig – fünfhundertzwölf –
tausendvierundzwanzig

**13**

**1**  565 Euro – **2**  35 Euro – **3**  57 Euro – **4**  64 Euro

**14**

**1**  Siebzehn plus drei ist zwanzig. – **2**  Dreiunddreißig
minus zehn ist dreiundzwanzig. – **3**  Neunhundertneunundneunzig minus neunundneunzig ist neun-
hundert. – **4**  Einhundertzwölf plus achtundachtzig
ist zweihundert.

**15**

**1**  089 – **2**  069 – **3**  030 – **4**  49 – **5**  43 – **6**  41.

**16**

Polizei 110
Feuerwehr/Notruf 112

**17**

**2**  64 62 08 – **3**  0152 / 25 37 52 482 –
**4**  030 / 23 90 52

## 18

**1** B – **2** C – **3** B – **4** B – **5** A – **6** C

## 19a

Das ist Heiner Waltermann. Er ist Programmierer von Beruf. Er wohnt in Oldenburg, Sandweg 3. Die Handynummer ist 0171 / 451232. Er ist 32 Jahre alt.

## 19b

Das ist Frau Schmidt. Sie ist 25 Jahre alt. Sie ist Altenpflegerin von Beruf. Sie wohnt in Gießen, Lahnstraße 17. Die Handynummer ist 0174 23 98 65

## 20a

**groß:** Namen von Personen: Martin Berger
Namen von Ländern, Kontinenten und Städten:
Frankfurt – Berlin – Europa
Sprachen: Spanisch – Deutsch
Berufe: Ingenieur – Arzt
Nomen: der Beruf – die Telefonnummer
**klein:** andere Wörter: zehn, sprechen, leben, lieben, arbeiten, kommen

## 20b

Herr Berger kommt aus Frankfurt. Er ist Arzt. Er spricht Deutsch. Er lebt und arbeitet in Berlin.

## 21a

**1** Apotheke – **2** Café – **3** Formular – **4** Kasse – **5** Oper – **6** Pass – **7** Pizza – **8** Schokolade

## 21b

**1** Formular – **2** Pass – **3** Café – **4** Schokolade – **5** Kasse – **6** Apotheke – **7** Pizza – **8** Oper

## 22a

Café, das, -s,
Formular, das (-e)
Pass, der, Pässe

## 22b

die Apotheke, die Apotheken – das Café, die Cafés – das Formular, die Formulare – die Kasse, die Kassen – die Oper, die Opern – der Pass, die Pässe – die Pizza, die Pizzen/die Pizzas – 4. die Schokolade, die Schokoladen

## 23a

**1** D – **2** H – **3** G – **4** F – **5** C – **6** E – **7** A – **8** B

## Wichtige Wörter

## 1a

**A** 2 – **B** 4 – **C** 1 – **D** 3

## 1b

**1** Wörter und Grammatik lernen
**2** ein bisschen Deutsch sprechen
**3** bei Mercedes arbeiten.
**4** Arbeit suchen

## 2

die/eine Arbeit – die/eine Adresse – der/ein Beruf – das/ein Jahr – das/ein Land – der/ein Platz

## 3

**1** das Papier und der Bleistift
**2** der Schlüssel und die Tür
**3** die Straße und die Hausnummer
**4** die Kita und das Anmeldeformular
**5** das Land und die Nationalität
**6** die Telefonnummer und die Vorwahl

## 5

**2** die Brille, -n –     **21** der Schlüssel, -
**3** das Buch, "-er     **22** der Stuhl, "-e
**4** Die CD, -s     **23** das Tablet, -s
**6** das Fenster, -     **24** die Tafel, -n
**7** die Flasche, -n     **26** die Tasche, -n
**8** das Handy, -s     **27** der Tisch, -e
**9** das Heft, -e     **28** die Tür, -en
**10** der Kuli, -s     **29** die Uhr, -en
**11** die Lampe -n     **30** der USB-Stick, -s
**12** der Laptop, -s     **31** das Wörterbuch, "-er
**17** das Plakat, -e

## 7

die Zettel, der Zettel – die Bleistifte, der Bleistift – die Markierstifte, der Markierstift –
die Plakate, das Plakat – die Scheren, die Schere – die CDs, die CD – die Wörterbücher, das Wörterbuch – die Uhren, die Uhr – die Stühle, der Stuhl

## 8a

die Tür und das Fenster
die Jacke, das Portemonnaie und der Schlüssel
der Laptop, der USB-Stick, das Tablet und das Handy
der Tisch, die Flasche, die Tasse, das Buch und das Notizbuch

# Lösungen

## Lektion 3  Häuser und Wohnungen

**1**

der Stuhl – der Tisch – das Regal – der Sessel –
das Sofa – das Bild – der Teppich – das Bett –
der Vorhang – die Lampe – der Fernseher

**2a**

der, er – das, es – die, sie – die (Pl.), sie

**2b**

**1** 7 Da ist eine Lampe. Sie ist modern. – **2** 4 Da ist
ein Stuhl. Er ist unbequem. – **3** 2 Da ist ein Tisch.
Er ist klein. – **4** 1 Da ist ein Sofa. Es ist schön. –
**5** 8 Da ist ein Fernseher. Er ist neu. – **6** 3 Da ist ein
Regal. Es ist ordentlich. – **7** 5 Da sind Bilder. Sie sind
klein. **8** 6 Da ist ein Teppich. Er ist neu.

**3**

**1** Da ist ein Schrank. Da ist kein Schrank. – **2** Da ist
ein Regal. Da ist kein Regal. **3** Da ist eine Spüle. Da
ist keine Spüle. – **4** Da sind Bilder. Da sind keine
Bilder.

**4**

**1** Im Büro ist ein Tisch und ein Laptop. Da ist eine
Lampe und ein Heft.

**2** Im Büro ist kein Tisch und kein Laptop. Da ist keine Lampe und kein Heft. Da sind keine Bücher
und keine Kugelschreiber.

**5a**

ich habe – du hast – er/es/sie hat – wir haben –
ihr habt – sie haben

**5b**

**1** habe, habe – **2** hast – **3** hat, hat – **4** haben,
haben – **5** Habt – **6** haben

**6**

Beispiel:

Ich brauche eine Spülmaschine. – Du kaufst ein
Sofa. – Luciano kauft Blumen. –Luciano hat keinen
Kühlschrank.

**7a**

**1** Spülmaschine – **3** Sessel – **6** Stuhl – **7** Kühlschrank – **9** Fernseher

**7b**

Sie haben kein Regal, keine Blumen, kein Sofa,
keinen Herd.
Sie brauchen ein Regal, Blumen, ein Sofa, einen Herd.

**8**

Guten Tag, ich suche einen USB-Stick.
Guten Tag, USB-Sticks finden Sie dort.
Danke. Und haben Sie auch Kugelschreiber?

Ja, Kugelschreiber liegen hier. Wie viele brauchen
Sie?
Ich brauche einen Kuli. Und noch einen Bleistift.

**10**

rot – rosa – braun – gelb – weiß – schwarz – blau –
grün – grau – lila

**11**

**1** Der, den – **2** Der, das – **3** Die, das – **4**. Die, die –
**5** Der, die – **6** Die, die – **7** Die, den – **8** Die, den

**12**

**1** das, das – **2** das – **3** das, das – **4** die, die –
**5** die, die – **6** den, den

**13**

☺ toll – super – schön – sehr schön

😐 ganz schön – nicht schlecht – okay

☹ langweilig – nicht schön – hässlich – furchtbar

**14a**

**1** der Tisch – **2** der Sessel – **3** das Sofa –
**4** das Bild – **5** die Regale – **6** der Schrank

**14b**

der Sessel – das Sofa – die Regale

**14c**

Beispiel:

**1** Ich finde den Tisch schön.
**2** Das Sofa ist langweilig.
**3** Die Regale sind okay.
**4** Der Schrank ist hässlich.
**5** Das Bild ist nicht schön.
**6** Der Sessel ist super.

**15a**

**1** Nein, das ist kein Schrank. Das ist ein
Kühlschrank.
**2** Nein, das ist kein Fernseher. Das ist eine
Mikrowelle.
**3** Nein, das ist kein Bild. Das ist ein Foto.
**4** Nein, das ist kein Sessel. Das ist ein Stuhl.
**5** Nein, das sind keine Kugelschreiber. Das sind
Stifte.

**16**

im dritten Stock          im Dachgeschoss
im ersten Stock           im zweiten Stock
im Erdgeschoss

## 17

**1** E – **2** D – **3** A – **4** B – **5** C

## 18

**1** Reinfeldt
**2** Giesbertz
**3** Palisch
**4** im Dachgeschoss / im 3. Stock
**5** im 1. Stock links

## 19a

Foto rechts

## 19b

**1** Richtig – **2** Falsch – **3** Falsch

## 20

**2** Wie ist Ihre Adresse? / Wie ist die Adresse?
**3** Wohnen Sie im ersten Stock?
**4** Haben Sie eine Terrasse?

## 21

4-Zimmer-Wohnung – Miete – Nebenkosten –
Einfamilienhaus

## 22

EFH = Einfamilienhaus – qm = Quadratmeter –
Zi = Zimmer – EBK = Einbauküche –
ZH = Zentralheizung – NK = Nebenkosten

## 23

Wie wohnen Sie?
Ich wohne in einer 3-Zimmer-Wohnung.
Ist die Wohnung ruhig?
Es geht, nicht sehr ruhig.
Haben Sie einen Balkon?
Ja, er ist schön groß.

## 24

**1** Anzeige 3
**2** Anzeige 4

## 25a

Beispiel:
Sie sind im Möbelhaus.
Sie kaufen ein Bett.
Sie brauchen ein Bett.
Sie suchen ein Bett.

## 25b

Jan Weber

## 25c

**1** richtig – **2** richtig – **3** falsch – **4** falsch

## Wichtige Wörter

### 1

der Fernseher – der Kühlschrank – das Regal –
der Sessel – das Sofa – die Spülmaschine –
der Teppich – der Vorhang – die Waschmaschine

### 3a

von oben nach unten:
**1** das Regal – der Tisch – das Sofa – der Sessel –
das Wohnzimmer
**2** das Bild – die Lampe – das Bett – das Schlafzimmer
**3** der Vorhang
**4** der Laptop – der Stuhl
**5** die Spüle – der Herd – die Spülmaschine –
die Küche
**6** das Fenster
**7** der Balkon
**8** die Waschmaschine

### 4

Beispiel:

| | |
|---|---|
| **Wohnzimmer:** | ein Regal, ein Sofa,.ein Sessel, ein Tisch, zwei Kissen |
| **Schlafzimmer:** | ein Bett, eine Lampe, ein Bild, ein Nachttisch |
| **Kinderzimmer:** | ein Bett, eine Bettdecke, ein Teddybär, ein Vorhang |
| **Arbeitszimmer:** | ein Laptop, ein Stuhl, ein Schreibtisch, ein Computer |
| **Küche:** | ein Herd, eine Spülmaschine, ein Kühlschrank, eine Spüle, ein Küchenschrank, Stühle, ein Tisch |
| **Badezimmer:** | eine Toilette, eine Badewanne |
| **Balkon:** | Blumen, ein Tisch, ein Stuhl, ein Blumentopf |
| **Keller:** | Waschmaschinen, Wäsche, eine Heizungsanlage |

# Lösungen

## Lektion 4 Familienleben

**1**
1 Mutter – Bruder – Großmutter – Großvater
2 Schwester – Eltern – Großeltern

**2**
1 Großvater
2 Mutter – Eltern
3 Bruder – Geschwister
4 Onkel
5 Cousine

**3a**
Foto links: Dialog 2
Foto rechts: Dialog 1

**3b**
1 Alberto: Bruder – Maria: Nichte – Rita: Nichte – Daniel: Neffe
2 Martin: Onkel – Bianca: Tante – Caroline: Cousine – Marc: Cousin

**4**
mein Vater – mein Kind – meine Mutter – meine Großeltern
dein Vater – dein Kind – deine Mutter – deine Großeltern
sein Vater – sein Kind – seine Mutter – seine Großeltern
ihr Vater – ihr Kind – ihre Mutter – ihre Großeltern
Ihr Vater – Ihr Kind – Ihre Mutter – Ihre Großeltern

**5**
1 Mein – meine
2 Ihre – ihr
3 Ihre – meine
4 dein – Mein
5 Ihre – Meine

**6**
1 Ihr – Mein – mein
2 Ihre – Meine

**7**
1 Seine – sein – sein – Sein
2 Ihr – ihr – ihr – Ihre

**8**
2 Was ist Ihr Vater von Beruf? – Was ist dein Vater von Beruf?
3 Wie heißen Ihre Geschwister? – Wie heißen deine Geschwister?
4 Wie alt ist Ihr Sohn? – Wie alt ist dein Sohn?

**10**
2 sprechen – **3** sehen – **4** lesen – **5** fahren –
**6** treffen – **7** spielen – **8** nehmen
**Lösungswort:** schlafen

**11a**
ich nehme – du nimmst – er/es/sie nimmt – wir nehmen – ihr nehmt – sie/Sie nehmen
ich esse – du isst – er/es/sie isst – wir essen – ihr esst – sie/Sie essen
ich lese – du liest – er/es/sie liest – wir lesen – ihr lest – sie/Sie lesen
ich fahre – du fährst – er/es/sie fährt – wie fahren – ihr fahrt – sie/Sie fahren
ich schlafe – du schläfst – er/es/sie schläft – wir schlafen – ihr schlaft – sie/Sie schlafen

**11b**
1 schläft – **2** Nehmen, nehme – **3** Triffst –
**4** Liest, sehe – **5** Fährt, trifft – **6** isst, sieht –
**7** spricht – **8** fährt

**12**
**Beispiel:**
Sie essen Schokolade. Der Opa von Tom liest ein Buch. Seine Oma schläft. Seine Mutter und sein Vater essen Pizza und sehen einen Film. Sein Onkel schreibt eine E-Mail.

**13**
1 Wo – in
2 wohin – nach
3 in – nach

**14**
2 besichtigen
3 besuchen
4 kaufen
5 besichtigen

**15a**
den Roland – die Böttcherstraße

**15 b**
1 falsch – **2** richtig – **3** falsch – **4** falsch

**16**
Zuerst kauft er Lebensmittel.
Dann besucht er einen Freund.
Danach isst er zu Mittag,
Dann trinkt er einen Kaffee.
Danach sieht er einen Film.

**17**
1 keine – **2** keinen – **3** keinen – **4** kein

## 18
**Beispiel:**
- Hallo Jan! Wann kommst du?
- Am Samstag. Was machen wir?
- Zuerst besuchen wir einen Freund, dann besichtigen wir die Stadt.
- Besuchen wir auch ein Straßenfest?
- Nein, am Samstag gibt es kein Straßenfest.

## 20
**1** Früher war ich ein Kind. Früher hatte ich kein Kind
**2** Jetzt bin ich Mutter. Jetzt habe ich ein Kind.

## 21a
ich hatte – du hattest – er/es/sie hatte – wir hatten – ihr hattet – sie/Sie hatten
ich war – du warst – er/es/sie war – wir waren – ihr wart – sie/Sie waren

## 21b
**1** Hattest – hatte
**2** Hatte – hatte
**3** Warst – war
**4** Wart – waren
**5** War – war

## 22
**1** waren – sind
**2** hatten – haben
**3** hatte – habe
**4** war – ist

## 23a
die Töchter – die Brüder – die Häuser

## 23b
fährt– Brüder – Sehenswürdigkeiten – schön – Bücher – schläft – fährt

## 25a
**1** Karina und Martin
**2** Sie und Martin besichtigen den Zwinger und die Frauenkirche.
**3** **Beispiel:**
Zuerst machen sie einen Spaziergang an der Elbe. Dann gehen sie in das Residenzschloss. Am Abend gehen sie in ein Konzert.

## 25b
**Beispiel:**
Liebe Karina,
vielen Dank für deine Karte. Ich war schon in Dresden und ich finde die Stadt sehr schön.
Am Wochenende besuche ich einen Freund in Regensburg.
Am Samstag machen wir eine Schifffahrt auf der Donau und am Abend gehen wir ins Kino.

## Wichtige Wörter

## 1
meine Schwester und mein Bruder
meine Mutter und mein Vater
mein Sohn und meine Tochter

## 3
eine Radtour machen – Sehenswürdigkeiten besichtigen – Lebensmittel kaufen – zu Mittag essen – einen Kaffee trinken – ein Straßenfest besuchen – meine Freunde treffen
**Beispiel:**
Wir machen morgen eine Radtour.
Wir besichtigen Sehenswürdigkeiten in Berlin.
Ich kaufe Lebensmittel im Supermarkt.
Wann essen wir zu Mittag?
Wir trinken einen Kaffee.
Dann besuchen wir ein Straßenfest.
Ich treffe meine Freunde.

## 5
**Diego:**
eine Zeitung lesen – im Restaurant essen – eine Radtour machen – eine Schiffahrt auf dem Rhein machen – nach Köln fahren – eine E-Mail schreiben – eine Pizza im Supermarkt kaufen – den Dom besichtigen
**Isabel:**
einen Kaffee trinken – den Bus nehmen – zu Mittag essen – im Restaurant essen – chillen – eine Schifffahrt auf dem Rhein machen – Deutsch lernen – ihre Großeltern besuchen

## 7
Diego isst im Restaurant.
Diego macht er eine Radtour.
Diego macht eine Schifffahrt auf dem Rhein.
Diego fährt nach Köln.
Diego schreibt eine E-Mail.
Diego kauft eine Pizza im Supermarkt.
Diego besichtigt den Dom.
Isabel trinkt einen Kaffee.
Isabel nimmt den Bus.
Isabel isst zu Mittag
Isabel isst im Restaurant.
Isabel chillt.
Isabel macht eine Schifffahrt auf dem Rhein.
Isabel lernt Deutsch.
Isabel besucht ihre Großeltern.

# Lösungen

**8**
Diego 1 – 8 – 2 – 7 – 5 – 4 – 3 – 6
Isabel 1 – 2 – 4 – 8 – 6 – 7 – 5 – 3

## Station 1

**A**
**1** geht, Ihnen – gut – gut
**2** geht, dir – gut, dir – geht

**C**
40 – 13 – 32 – 106

**D**
sprechen – spreche … Deutsch

**E**
Stock – Zimmer-Wohnung – Wohnung – groß –
teuer – Möbel – Schrank – Bilder

**F**
**A** ● Wie viel kostet das Brot?
   ● Es kostet 1 Euro 19.
**B** ● Wieviel kostet der Kühlschrank?
   ● Er kostet 249 €.

**G**
**1** Wie – schön – hässlich
**2** ● Wie findest du das Sofa?
   ● Ich finde das Sofa hässlich.
   ● Oh nein, das Sofa ist schön.

**H**
Beispiel:
● Wie groß ist Ihre Familie?
● Ich habe drei Geschwister.
● Haben Sie Kinder?
● Ja, ich habe zwei Kinder / Nein, ich habe keine
  Kinder.

# Lektion 5  Der Tag und die Woche

**1**
**2** Sie malt. – **3** Sie surfen im Internet. –
**4** Sie spielen Fußball. – **4** Sie hört Musik. –
**6** Sie grillen. – **7** Er/Sie schwimmt. –
**8** Sie joggen. – **9** Sie trinken Kaffee.

**2a**
**1** Falsch – **2** Falsch – **3** Richtig – **4** Richtig

**2b**
☺ Peter Böhme: Fußball spielen – **Martin Berger:**
Bücher lesen – **Barbara Veit:** tanzen, malen –
**Brigitte Tillner:** Musik hören, schwimmen, tanzen

☹ Peter Böhme: joggen – **Martin Berger:** im Internet surfen – **Barbara Veit:** Fußball spielen – **Brigitte Tillner:** joggen

**3**
links: zehn vor – Viertel vor – zwanzig vor – halb
rechts: zehn nach – Viertel nach – zwanzig nach

**4**
**1** A – **2** B – **3** B

**5**
**1** B – **2** D – **3** A – **4** C

**6a**
**2** 3:05 / 15:05
**3** 5.50 / 17:50
**4** 4:15 / 16:15

**5** 12:40 / 0:40
**6** 10:45 / 22:45
**7** 12:00 / 24:00
**8** 6:10 / 18:10

**6b**
**2** Es ist elf Uhr fünf / fünf nach elf
**3** Es ist dreizehn Uhr zwanzig / zwanzig nach eins.
**4** Es ist neunzehn Uhr fünfundvierzig /
   Viertel vor acht.
**5** Es ist dreiundzwanzig Uhr zwanzig / zwanzig
   nach elf.

**7**
**1** um – **2** von … bis – **3** Bis

**8**
von links nach rechts:
4 – 1 – 5 – 2 – 3
**2** fernsehen – **3** ausgehen – **4** aufstehen –
**5** aufräumen

**9**
**2** Sebastian räumt die Wohnung auf.
**3** Silvia kauft Lebensmittel ein.
**4** Sie nimmt ihre Tochter mit.
**5** Dann gehen sie schwimmen. Eine Freundin
   kommt mit.
**6** Um 20 Uhr sehen sie alle fern.

## 10

**2** Claudia ruft an. – Claudia ruft Martin an. – Claudia ruft Martin oft an.

**3** Claudia geht aus. – Claudia geht am Samstag aus. – Claudia geht am Samstag gern aus.

## 11

**1** an – mit – **2** ein – auf – **3** an – fern

## 12

**1** Um halb zwei geht Julia spazieren.
**2** Von zwei bis drei macht sie Hausaufgaben.
**3** Dann geht sie einkaufen.
**4** Um halb sieben isst sie Pizza.
**5** Um 20 Uhr ruft sie ihre Freundin an.
**6** Am Wochenende machen sie einen Ausflug.

## 13

Montag – Dienstag – Mittwoch – Donnerstag – Freitag – Samstag – Sonntag

## 14

**1** Am Donnerstag trifft Maria eine Freundin.
**2** Am Dienstag geht sie ins Kino.
**3** Am Montag, Mittwoch und Freitag arbeitet sie.
**4** Am Dienstag hat sie einen Friseurtermin
**5** Am Samstag und Sonntag ist sie in München.

## 15

am Morgen – am Vormittag – am Nachmittag – am Abend – in der Nacht

## 16

am – Am – um – um – am – um

## 17

Beispiel:
Am Montagvormittag arbeitet Manuel.
Am Nachmittag geht er einkaufen.
Am Abend trifft er Susanne.
Am Dienstagmorgen repariert er sein Fahrrad.
Am Mittag macht er einen Ausflug mit Susanne.
Am Nachmittag geht er / gehen sie schwimmen.
Am Abend kocht er mit Susanne.

## 20

☺ 2, 3, 5
☹ 1, 4

## 21

Beispiel:
● Gehen wir ins Kino?
● Ja, gern, wann?
● Geht es am Samstagabend um 20 Uhr?
● Nein. Meine Eltern kommen am Wochenende.
● Und wann hast du Zeit?
● Vielleicht am Sonntagabend. Wann beginnt der Film?
● Um 19 Uhr.
● Das geht. Meine Eltern bleiben nur bis Sonntagmittag.
● Super. Dann bis Sonntagabend

## 22a

Foto 2

## 22b

**1** F – **2** R – **3** R – **4** R – **5** F

## 23

**1** Wie geht es Ihnen?
**2** Der Lehrer wohnt in der Nähe.
**3** In der Küche ist ein Stuhl und ein Kühlschrank.
**4** Mein Sohn hat ein Fahrrad.
**5** Nehmt ihr die S-Bahn?

## 24

**Freitag, 11.4.**
19.00 Uhr Mozart, Don Giovanni, Deutsche Oper
20.00 Uhr Schuhmann, Beethoven, Philharmonie Berlin
**Samstag, 12.4.**
15 Uhr Film Buster Keaton, Filmmuseum
15.30 Uhr Fußball
19.00 Uhr Berlin-Musical, Theater am Potsdamer Platz
18.–23 Uhr Buffet China Restaurant
**Sonntag 13.4.**
15 Uhr Film Buster Keaton, Filmmuseum
20 Uhr, Shakespeare, Berliner Ensemble

## 25a

1 – 2 – 3 – 7

## 25b

**1** R – **2** F – **3** R – **4** R – **5** F

## Wichtige Wörter

## 2

ein Bild malen – im Internet surfen – Musik hören/spielen – einkaufen gehen – Schach spielen – ein Fahrrad reparieren – Fußball spielen – spazieren gehen – ins Kino gehen

## 4

links:
**1** Karten spielen – **2** ein Buch lesen – **3** tanzen –
**4** chillen – **5** Karaoke singen – **6** fernsehen –
**7** im Internet surfen – **8** ein Würfelspiel spielen –
**9** basteln – **10** kochen – **11** ausgehen –
**12** Musik hören

# Lösungen

rechts:

**1** Fußball spielen – **2** einen Film sehen – **3** schwimmen gehen – **4** zelten – **5** Volleyball spielen – **6** kegeln – **7** joggen – **8** Musik machen – **9** Freunde treffen – **10** fotografieren – **11** wandern – **12** schlafen

## 6a

schwimmen gehen – Fußball spielen – tanzen – fotografieren – Karten spielen – Musik machen – Karaoke singen

## 6b

Herr Vorfelder findet Fußball spielen langweilig, Schwimmen mag er nicht.
Frau Vorfelder findet Fotografieren interessant. Sie spielt nicht gern Karten. Sie tanzt gern und mag Karaoke singen.

# Lektion 6   Guten Appetit!

## 1

**Getränke:** der Kaffee, der Tee, der Wein
**Backwaren:** das Brot, der Kuchen
**Obst und Gemüse:** die Tomate, der Salat, die Banane, der Apfel
**Milchprodukte:** die Butter, der Käse, die Milch, der Joghurt

## 3a

täglich –oft – manchmal – selten – nie

## 3b

**Beispiel:**
Ich trinke täglich Tee.
Ich esse selten Salat.
Ich räume täglich auf.
Ich mache manchmal einen Ausflug.
Ich koche selten.
Ich spiele nie Fußball.

## 4

**1** E – **2** F – **3** D – **4** B – **5** A – **6** C

## 5

**1** Trink – **2** vergesst – **3** Fahr – **4** Kommen Sie – **5** Bleib – **6** Warten

## 6

**du:**
Hol bitte Brot! – Vergiss das Buch nicht! – Nimm doch einen Salat!
**ihr:**
Schlaft gut! – Fragt den Lehrer! – Lest den Text!
**Sie:**
Kaufen Sie bitte Reis! – Sprechen Sie bitte langsam! – Kommen Sie am Vormittag!

## 7

**Beispiel:**
**anfangen:** Fang an! – Fangt an! – Fangen Sie an! – Fang bitte an!
**kommen:** Komm! – Kommt! – Kommen Sie! – Kommt nach Hause!
**sprechen:** Sprich! – Sprecht! – Sprechen Sie! – Sprich laut!
**schreiben:** Schreib! – Schreibt! – Schreiben Sie! – Schreiben Sie einen Text!
**mitbringen:** Bring mit! – Bringt mit! – Bringen Sie mit! – Bringen Sie ein Brot mit!

## 8

**2** Lesen Sie doch ein Buch!
**3** Fahren Sie doch nach Berlin!
**4** Besuchen Sie doch das Straßenfest!

## 9

eine Flasche: Wein, Wasser
ein Stück: Butter, Käse
eine Packung: Reis, Spaghetti
einen Becher: Joghurt, Kaffee
eine Dose: Mais, Fisch
ein Glas: Marmelade, Joghurt

## 10

Herr Tolic kauft eine Flasche Apfelsaft, zwei Brötchen, eine Tüte Chips, eine Dose Erbsen,
eine Tafel Schokolade, eine Packung Spaghetti,
eine Dose Fisch, fünf Scheiben Salami, drei Birnen.

## 11

200 Gramm Wurst – ein Stück Käse – eine Packung Spaghetti – drei Becher/Gläser Joghurt – eine Flasche/ein Kasten Wasser

## 12

**Beispiel:**
Ich kaufe Obst und Gemüse im Supermarkt/auf dem Markt.

Ich kaufe Zeitungen an der Tankstelle/im Supermarkt.

Ich kaufe Brot in der Bäckerei/im Supermarkt.

Ich kaufe Schokolade im Supermarkt/an der Tankstelle.

Ich kaufe Milch im Supermarkt/auf dem Markt.

## 13

**Verkäufer/Verkäuferin:**

Das Kilo kostet 90 Cent. – Das macht zusammen 6,90 Euro. – Guten Tag, was möchten Sie? – Haben Sie es passend? – Haben Sie noch einen Wunsch? – Möchten Sie noch etwas?

**Kunde/Kundin:**

Danke, das ist alles. – Dann nehme ich zwei Kilo. Birnen. – Ein Kilo Tomaten, bitte. – Ich hätte gerne 3 Kilo Kartoffeln. – Nein, leider nicht. Ich habe nur zwanzig Euro. – Was kosten die Tomaten?

## 14

**1** Was möchten Sie?

**2** Was kosten die Birnen?

**3** Möchten Sie noch etwas?

## 15

**1** • Was möchten Sie?
   • Ich möchte einen Tee und meine Tochter möchte einen Apfelsaft.

**2** • Möchtest du Kaffee?
   • Nein danke. Ich möchte ein Glas Mich.

**3** • Möchtet ihr Wein oder Bier?
   • Danke, wir möchten Bier.

## 16

**1** 0,69 € – **2** 3,99 € – **3** 0,59 € – **4** 1,40 €

## 17

**Dialog 1:**

• Guten Tag, was möchten Sie?

• Fünf Brötchen, bitte.

• Haben Sie noch einen Wunsch?

• Ja, noch ein Bauernbrot, bitte.

• Fünf Brötchen, ein Bauerbrot. Ist das alles?

• Ja, das ist alles.

**Dialog 2:**

• Ja, bitte?

• Was kosten die Birnen?

• Ein Kilo kostet 2,50 €.

• Dann nehme ich zwei Kilo Birnen und ein Pfund Tomaten.

## 18

• Guten Tag, was möchten Sie?

• 300 g Hackfleisch, bitte.

• 300 Gramm Hackfleisch, das macht 2,40 €. Haben Sie noch einen Wunsch?

• Ja, ich nehme auch 5 Scheiben Schinken.

• Ist das alles?

• Ja, vielen Dank.

• Das macht dann zusammen 4,10 €. Haben Sie es passend?

• Nein, leider nicht. Ich habe nur 10 Euro

• Dann bekommen Sie 5,90 Euro zurück.

## 19

**2** Patricia mag Cola.

**3** Ewa und Anna mögen Chips.

**4** Sebastian mag Käsekuchen

## 20a

ich mag – du magst – er/es/sie mag – wir mögen – ihr mögt – sie/Sie mögen

## 20b

**1** mag – **2** Mögt, mögen – **3** mögen, mag

## 21

**1** A – **2** B – **3** A – **4** A – **5** B – **6** B

## 22

**1** Nein, ich mag keinen Kaffee.

**2** Nein, ich sehe nicht gern fern.

**3** Nein, ich esse nicht gern Chips.

**4** Nein, ich mag kein Bier.

## 23a

**oben:** R M F M

**unten:** R R F R

## 23b

**1** Herr Fechner isst zum Frühstück oft Brot und Marmelade. Er trinkt immer Kaffee.

**2** Frau Mertens isst zu Mittagessen eine Suppe und einen Salat.

**3** Robert isst zum Abendessen immer zwei Brote mit Wurst und Tomaten, manchmal nur Tomaten. Er trinkt Tee oder Apfelsaft.

## 25b

• Gehen Sie einkaufen? Dann bringen Sie doch bitte ein Eis und eine Zeitung mit.

• Nein, leider habe ich keine Zeit. Heute ist Dienstag, ich gehe Fußball spielen.

## 26a

6 – 1 – 3 – 2 – 5 – 7 – 4

## 26b

**A** 1 – **B** 3 – **C** 6 – **D** 2 – **E** 5 – **F** 4

## 26c

**A** Geben Sie das Mehl, die Eier, die Milch und das Salz in eine Schüssel und mischen Sie alles.

**B** Erhitzen Sie die Butter in der Bratpfanne.

# Lösungen

C  Geben Sie etwas Teig in die Pfanne und braten Sie ihn 2 bis 3 Minuten.
D  Wenden Sie den Pfannkuchen und braten Sie ihn noch einmal 1 bis 2 Minuten
E  Mischen Sie Zimt und Zucker.
F  Servieren Sie den Pfannkuchen mit Zimt und Zucker.

## Wichtige Wörter

### 1
1 Vormittag – 2 Tomate – 3 Wurst – 4 Fisch – 5 Fleisch

### 6a
Ewa findet Pudding mit Salz und Pfeffer furchtbar.
Erik mag Müsli mit Äpfel und Birnen.
Maria trinkt keinen Kaffee mit Honig.

# Lektion 7  Arbeit und Beruf

### 1
1 B – 2 E – 3 D – 4 A – 5 C

### 2
2  Die Kellnerin arbeitet im Restaurant.
3  Der Kfz-Mechaniker arbeitet in der Werkstatt.
4  Der Ingenieur arbeitet auf der Baustelle.
5  Die Bankkauffrau arbeitet in der Bank.

### 3
2  Die Sekretärin nimmt Anmeldungen an.
3  Der Kfz-Mechaniker repariert Autos.
4  Die Briefträgerin bringt die Post.
5  Die Kellnerin bringt Kaffee und Kuchen.,

### 4
Sie berät die Kunden und kontrolliert die Kasse.
Sie muss auch Geld wechseln und bei Problemen mit Überweisungen helfen. Oft muss sie auch länger bleiben/arbeiten.

### 5
können:  ich kann – du kannst – er/es/sie kann – wir können – ihr könnt – sie/Sie können
müssen:  ich muss – du musst – er/es/sie muss – wir müssen – ihr müsst – sie/Sie müssen
wollen:  ich will – du willst – er/es/sie will – wir wollen – ihr wollt – sie/Sie wollen

### 6
1  Können
2  Kannst – können
3  kann – kann
4  Könnt
5  kann

### 7
1 muss – 2 müssen – 3 muss – 4 müssen

### 8
1  Ich will heute fernsehen.
2  Wir wollen Fußball spielen.
3  Monika will zu Hause Musik hören.

4  Wollt ihr ins Kino gehen?
5  Willst du einen Tanzkurs machen?
6  Wollen Sie etwas trinken?

### 9
1  Wollen – muss
2  musst/willst – muss – wollen
3  musst – will
4  Müssen – muss/will

### 10
1  Sie muss früh aufstehen, aber sie kann schon am Mittag nach Hause gehen.
2  Er muss auch in der Nacht arbeiten, aber er kann am Vormittag lange schlafen.
3  Er muss viel erklären, aber er kann auch viel von den Schülern lernen.
4  Sie muss viel im Büro sitzen, aber sie kann bei der Arbeit Kaffee trinken.
5  Er muss heute bis 22 Uhr arbeiten, aber er kann morgen schon um 15 Uhr nach Hause gehen.

### 11
1  Kann – musst
2  Willst – kann – Willst
3  Können – will – Können – muss

### 12
1 D – 2 B – 3 A – 4 C

### 13a
1 Kellnerin – 2 Lehrer – 3 Briefträgerin

### 13b
1 F – 2 R – 3 R – 4 F – 5 R – 6 R

### 14
2  Wir können nicht am Vormittag arbeiten/ Wir können am Vormittag nicht arbeiten.
3  Ich will nicht alleine arbeiten.
4  Er muss nicht viel reisen.
5  Sie muss nicht früh aufstehen.

## 16

**1** überweisen – Bankverbindung
**2** Mitgliedsbeitrag
**3** Konto – Kontonummer
**4** Geldautomat
**5** Gebühren

## 17a

**1** F – **2** R – **3** R – **4** R

## 17 b

**IBAN:** DE69 10070000 0319273403
**Betrag:** 150 Euro

## 18

**1** Sie geht zum Friseur.
**2** Sie ist beim Friseur.
**3** Sie geht zur Arbeit.
**4** Sie ist bei der Arbeit,.
**5** Sie kommt zurück nach Hause.
**6** Sie ist zu Hause.

## 19

**1** bei – **2** mit – **3** zum – **4** vom – **5** Vor –
**6** nach – **7** zu – **8** aus

## 20

**2** der / einer
**3** dem / einem
**4** den / –

## 21

**1** der, einem – **2** der – **3** der, einem – **4** beim, dem

## 22

**2** zu den Großeltern – **3** bei Freunden –
**4** aus dem Reisebüro – **5** zu einer Freundin –
**6** von einem Freund

## 23

**1** Wo – **2** Wohin – **3** Wo – wohin

## 24

**1** Sie wollen die Wohnung aufräumen und dann
zum Markt gehen.
**2** Er kann Englisch sprechen und jetzt will er
Spanisch lernen.
**3** Er ist Ingenieur von Beruf, aber er arbeitet
jetzt als Briefträger.

## 25a

**A** 1 – **B** 3 – **C** 4 – **D** 2 – **E** 5

## 25b

**Beispiel:**

Martin Rösch ist Taxifahrer. Er wohnt und arbeitet in
Duisburg. Er muss in der Nacht und am Wochenende
arbeiten. In der Nacht fährt er gern.

## 26a

**1** Arzt/Ärztin – **2** Taxifahrer – **3** Programmiererin/
Programmierer – **4** Sekretärin

## 26b

**Anzeige 1**
Beruf: Arzt/Ärztin
Firma: Kinderarztpraxis Mathiopoulus
Adresse: Bismarckstraße 76, 37085 Göttingen
Telefon/E-Mail: 0551 67788
Arbeitszeit: Montag, Mittwoch, Donnerstag
8.00 – 12.30 Uhr

**Anzeige 2**
Beruf: Taxifahrer (m/w)
Firma: Reisedienst Schmidt
Adresse: Gartenstraße 12, 79312 Emmendingen
Telefon/E-Mail: 07641 / 155 355
Arbeitszeit: am Wochenende/nachts

**Anzeige 3**
Beruf: Programmierer/Programmiererin
Firma: ABC-Software
Adresse: s.krebs@abc-software.de
Telefon/E-Mail: s.krebs@abc-software.de
Arbeitszeit: Vollzeit

**Anzeige 4**
Beruf: Sekretärin (m/w)
Firma: Bankhaus Jonas
Adresse: Hauptstraße 43, 26721 Emden
Telefon/E-Mail: 04921 51 32 0
Arbeitszeit: Montag – Freitag, vormittags oder
nachmittags

## Wichtige Wörter

## 1

## 2

der Taxifahrer, die Taxifahrerin, die Taxifahrer,
die Taxifahrerinnen
**3** die Reinigungskraft, die Reinigungskräfte

## 3

**1** Kunden beraten/bedienen
**2** Geld verdienen/wechseln/überweisen
**3** ein Formular unterschreiben

# Lösungen

## 5

die Verkäuferin
der Tischler
die Sekretärin
die Altenpflegerin
die Friseurin
der Arzt
die Lehrerin

## 7a

**1** D – **2** F – **3** I – **4** H – **5** G – **6** B – **7** A – **8** C – **9** E

## 7b

Die Verkäuferin arbeitet im Kaufhaus.
Der Gärtner arbeitet in der Gärtnerei.
Der Tischler arbeitet in der Werkstatt.
Die Sekretärin arbeitet im Büro.
Die Altenpflegerin arbeitet im Altersheim.
Die Hotelfachfrau arbeitet im Hotel.
Die Friseur arbeitet im Friseursalon.
Der Arzt arbeitet im Krankenhaus.
Die Lehrerin arbeitet in der Schule.

## 8

**2** Eine Lehrerin unterrichtet Schüler.
**3** Ein Verkäufer bedient Kunden.
**4** Ein Friseur schneidet Haare.
**5** Eine Hotelfachfrau reserviert Zimmer.
**6** Ein Altenpfleger betreut alte Menschen.
**7** Ein Gärtner pflegt Gärten.
**8** Eine Sekretärin plant Termine.
**9** Ein Tischler macht Möbel.

## Station 2

### A

Hobby – spiele – jogge – höre – findest – spiele – gerne

### B

Es ist halb sieben/6 Uhr dreißig/18 Uhr dreißig.
Es ist fünf vor zwölf/11 Uhr fünfundfünzig/23 Uhr fünfundfünfzig.
Es ist Viertel vor sechs/fünf Uhr fünfundvierzig/ siebzehn Uhr fünfundvierzig.

### C

Am – am – Am – Uhr – Uhr – um – bis

### D

machst – Vormittag – fängt ... an – treffe – gehen

### F

hätte gern – kosten – nehme

### I

Vom – beim – zur